まちごとチャイナ
広東省013

広州郊外
黄埔・海珠・番禺・南沙・花都
［モノクロノートブック版］

JN118538

広州の発展は、広州古城（越秀区）からはじまり、明清時代になってその西側の西関（荔湾区）、中華民国時代になって東側の東山（東山区から越秀区へ合併）、そして20世紀後半からそれまで東郊外だった天河が開発された。これらの地域が広州市街を形成していて、さらにその周囲の地域が広州郊外となっている。

　黄埔区、海珠区、番禺区、南沙区、花都区といったこれらの広州郊外の地域は、洪秀全の生まれた内陸（北部）の花都をのぞいて、珠江の流れと密接にかかわっている。より河口に近い黄埔、市街の対岸にあたる海珠は中華民国時代（20世紀初頭）に開発され、孫文や蒋介石ゆかりの遺構も残っている。広州南郊外の番禺と南沙はもともと海だったところで、宋

代以降、珠江の土砂の堆積で陸地化し、それまで手つかずであったゆえ、20世紀末になって企業や研究開発機関が進出するようになった。

　このように広州郊外は、伝統的な中軸線をもつ二千年都市広州の周縁部としての性格をもっている。この地が南国であることを感じられる北回帰線、太平天国の乱で知られる洪秀全(1814〜64年)の故居や客家の集落など、郊外に足を運べば市街部とは異なる広州の顔を見ることができる。また広州の市域が拡大するなかで、東莞、深圳、仏山、中山といった広州郊外に隣接する珠江デルタの街との一体化も進んでいる。

Asia City Guide Production
Guangdong 013

Guangzhoujiaoqu

広州郊区／guǎng zhōu jiāo qū　グァンチョウジィアオチュゥ
廣州郊區／gwóng jau¹ gaau¹ keui¹／グゥオンジョウガアウコォイ

まちごとチャイナ｜広東省 013

広州郊外

黄埔・海珠・番禺・南沙・花都

「アジア城市（まち）案内」制作委員会
まちごとパブリッシング

Contents

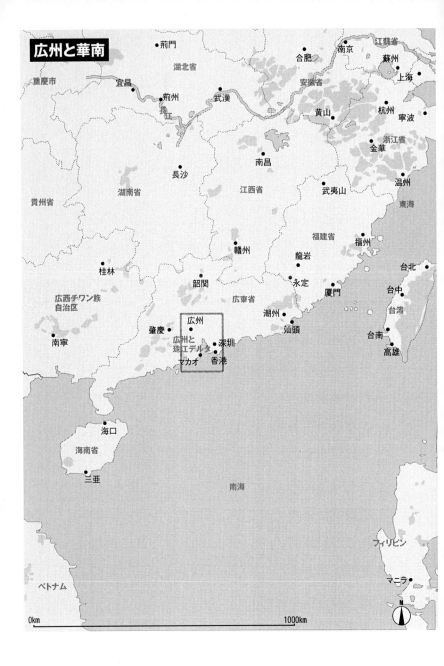

広州と華南

荊門
湖北省
重慶市
宜昌
荊州
武漢
合肥
安徽省
南京
蘇州
上海
長江
黄山
杭州
寧波
浙江省
金華
南昌
長沙
湖南省
江西省
武夷山
温州
東海
貴州省
福建省
福州
贛州
龍岩
台北
桂林
韶関
永定
厦門
台中
広西チワン族自治区
広東省
潮州
台湾
台南
広州
汕頭
肇慶
深圳
広州と珠江デルタ
香港
高雄
南寧
マカオ
海口
海南省
南海
三亜
フィリピン
ベトナム
マニラ

0km   1000km

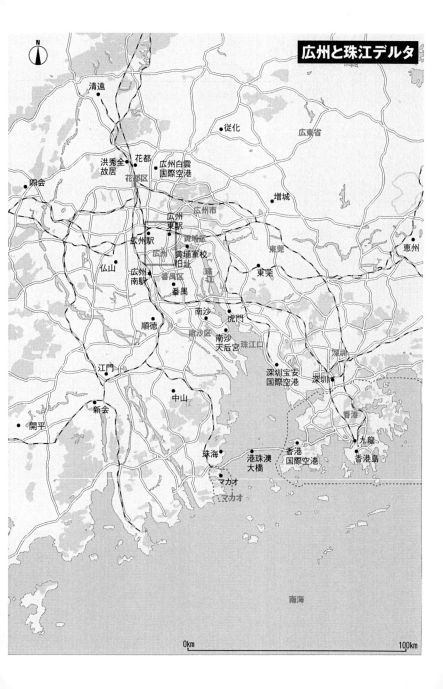

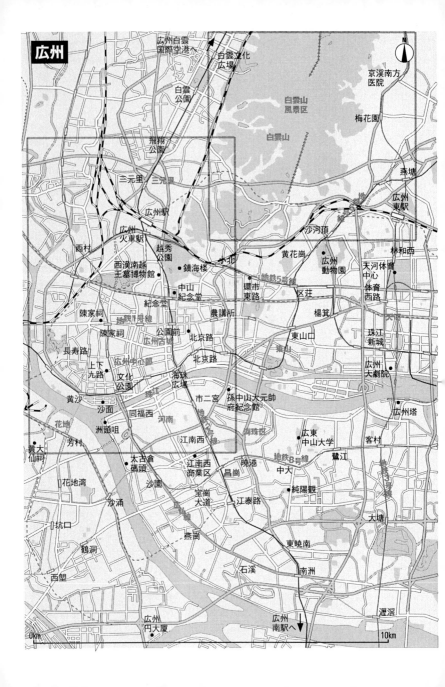

★★★

黄埔軍校旧址／黄埔军校旧址 フゥアンブゥジュゥンシィアオジィウチイ／ウォンボォウグゥアンハアウガオジイ

南沙天后宮／南沙天后宫 ナンシャアティエンホォウゴォン／ナアムサアティンホォウゴォン

洪秀全故居／洪秀全故居 ホォンシィウチュゥエングゥジュゥ／ホォンサァウチュゥングゥゴォイ

★★☆

三元里／三元里 サァンユゥエンリイ／サアンユゥンレィ

白雲山風景区／白云山风景区 バァイユゥンシャンフェンジンチュウ／バッワンサアンフォンギィンコォイ

孫中山大元帥府紀念館／孙中山大元帅府纪念馆 スゥンチョンシャンダアユゥエンシュゥアイフウジイニィエングゥアン／
シュンジョオンサアンダアイユゥンソォイフウゲエイニィムグゥン

南沙区／南沙区 ナァンシャアチュウ／ナアムサアコォイ

珠江口／珠江口 チュゥジィアンコォウ／ジュゥゴオンハァウ

花都区／花都区 フゥアドォウチュウ／ファアドォウコォイ

★☆☆

海珠区／海珠区 ハァイチュウチュウ／ホオイジゥウコォイ

太古倉碼頭／太古仓码头 タァイグウツァンマアトォウ／タアイグゥチョオンマアトォウ

江南西商業区／江南西商业区 ジィアンナァンシイシャンイエチュウ／ゴオンナアムサアイソォオンイッコォイ

広東中山大学／广东中山大学 グゥアンドォンチョンシャンダアシュエ／グゥオンドォンジョオンサアンダアイホッ

純陽観／纯阳观 チュンヤァングゥアン／スォンユゥエウングゥン

広州円大廈／广州圆大厦 グゥアンチョウユゥエンダアシャア／グゥオンジョオンユンダアイハアア

花地／花地 フゥアディ／ファアデイ

黄大仙祠／黄大仙祠 フゥアンダアシィエンツゥ／ウォンダアイシィンチィ

一体化する珠江デルタ

パール・リバー（真珠の流れ）という美しい名前
華南最大の珠江はその河口部にいくつもの街を育み
それらの異なる街が大きくまとまる珠江デルタ

珠江とは

　華北を流れる黄河、華中を潤す長江にくらべられる、華南最大の河川である珠江。珠江は雲南省から流れる西江、湖南省と江西省南部から流れる北江、江西省から流れる東江という3本の大きな支流からなり、最大の西江は2129kmの全長をもつ。そして、これら3本の支流が合流する地点に広州が位置する（広州西部で西江と北江、南東部で東江が合流する）。広州から珠江をくだったところに黄埔、南海神廟があり、珠江の河床が深くなるこの地は長らく広州外港（海港）として機能していた。古くは南海神廟から船は出航し、大型船はここまで遡航して、ここから小型船で広州へ向かった。そのさらに河口にあり、珠江の川幅が一気に広まるところに虎門（東莞）、南沙が位置し、ここが言わば広州への玄関口（珠江口）となっていた。南沙より先の珠江は海のような姿をしていて、陸地と南海の結節点、東側に香港、西側にマカオが位置する。東の香港と西のマカオは直線距離60kmもあり、ちょうど北の広州を頂点に三角形を描く。珠江という河川名は、南越国の宝珠（摩尼珠）を購入したペルシャ商人が、広州から帰国する際に強風が起こって、宝珠は水没してしまった。そして夜になると、宝珠が光を放つようになったため、この流れは珠江と呼ばれるようになったという。

珠江が姿を変えていく

　広州創世神話「五羊伝説」で描かれているように、周代、仙人が稲穂をくわえた5匹の羊に乗って現れたとき、広州には広大な海(珠江)と空が広がるばかりだったという。歴史的に、珠江はしばしば海として表現され、宋代の珠江は今の10倍以上の幅(広州市街では約2km)があり、「小海」と呼ばれていた。その様子は、明代の1380年、越秀山に築かれた5層の楼閣の名前が「鎮海楼(海を鎮める)」であることからもうかがえる。広州市街を見れば、唐代創建の懐聖寺(光塔)、光孝寺、六榕寺などが一か所に集まっていて、古い時代の広州港は現在の五仙観の位置にあった。そこから明清時代を通じて珠江は南遷し続け、それに応じて広州港も「懐遠駅(現在の上下九路近く)」、「十三行(文化公園)」、「沙面」と南下を続けた(同様に、広州古城の南に新城、さらにその南に南関が築かれるなど、街は南に拡大した)。一方、珠江による作用は河口部でも見られ、現在の番禺沙湾古鎮は唐代の海湾にあたり、南宋時代に珠江の土砂で陸地化した。さらに元明時代に沙埔(珠江河口部)の南側に巨大な沙州ができて、南沙が出現した。このように珠江の流れで押し出される土砂によって、南へ陸地が伸びていき、広州南郊外の番禺や南沙は、歴史時代に珠江がつくった土地であると言える。

粤港澳大湾区へ

　珠江デルタという言葉は、珠江の流れによって河口部に堆積して形成された三角州をさす。三角州のかたちがギリシャ文字の「Δ(デルタ)」に似ていることから、デルタという言葉が使われ、広州を三角形の頂点とし、珠江河口部東側に香港、西側にマカオが位置する。これは大航海時代の1557年、マカオにポルトガル人の上陸が認められて植民都市となったのに対し、アヘン戦争(1840〜42年)に勝利したイギリ

ここから香港やマカオへ続く、珠江口

太平天国の洪秀全は広州北部の花都に生まれた

南海神廟は海のシルクロードの出発点だった

蒋介石と周恩来が指導にあたった黄埔軍校旧址

スが香港を獲得したことによる。このように香港とマカオはいずれも、中国の南大門(屈指の港町)であった広州との関係において成立した。1949年の新中国建国後、中国本土が共産主義であったのに対して、香港とマカオは資本主義体制で運営され、経済的な発展を見せていた。こうしたなか、1978年より、資本主義の要素をとり入れる改革開放が決まると、香港に隣接する深圳、マカオに隣接する珠海に開発区がおかれて発展がはじまった。そしてその開発は深圳と広州のあいだの東莞、仏山、中山といった広州郊外に隣接する街にもおよび、都市と都市のあいだが比較的近く集住していること、珠江を通じて海路で結ばれていること、また珠江を越えて香港とマカオを結ぶ橋(港珠澳大橋)がかかったこと、などから「珠江デルタ=港澳大湾区(大湾)」の一体感が高まっている。

広州郊外の構成

　広州郊外は、南海、白雲山、珠江といった海、山、川などの美しい自然で彩られている。広州市は広東省中央南部に位置し、歴史的広州(城壁に囲まれた「広州古城」)は越秀山南麓にあり、ここ(越秀区)が今でも広州の中心部となっている。そして、明清時代、より珠江碼頭に近い広州古城西側の「西関」が市街地化し、ここが荔湾区にあたる。また同様に中華民国時代に広州古城東側の「東山」が発展し、当初は東山区だったが、現在は越秀区に入っている。20世紀末、改革開放がはじまると、当時の広州東郊外だった「天河」が開発区に選ばれ、ここが現在の広州新市街となっている。これら東西に連続して広がる街区は、広州市街を形成していて、その周囲が広州郊外になる。広州郊外のうち、清代以前から知られていたのが、南海神廟、黄埔軍官学校の位置する東郊外の「黄埔区」と、広州古城、西関と珠江をはさんで対岸の「海珠区(河南)」だった。広州南郊外の「番禺区」や「南沙区」は長い時間をか

けて陸地化され、香港やマカオ、深圳への地の利から、企業の拠点がおかれるようになった。一方、広州北側には古くから景勝地として知られてきた白雲山がそびえ、そのさらに北には広州の玄関口である広州白雲国際空港、花都区が位置する。花都区は孫文にも影響をあたえた太平天国の乱の洪秀全（1814〜64年）の生家があり、現在では広州中心部と地下鉄でつながっている。

San Yuan Li
三元里城市案内

**広州市街の北に隣接する三元里
ここはアヘン戦争時に名をあげた街で
広州市民の生活が息づく場所でもある**

三元里／三元里 ★★☆
北 sān yuán lǐ 広 saam¹ yun⁴ lei,
さんげんり／サァンユゥエンリイ／サアンユゥンレイ

　広州駅の北側に位置する三元里は、アヘン戦争(1840〜42年)時に反英闘争の舞台となった村として知られ、現在は広州市街とひとつながりになっている。三元里周辺では革製品や化粧品の市場があり、鉄道駅に近く安価な集合住宅が多いという点から、ウイグル人や外国人が集住するようになった。また昔ながらの宗祠、牌楼、民居が残るのも三元里の特徴で、真武大帝(北帝)をまつった三元古廟(道教寺院)は、三元里人民抗英闘争紀念館として開館しているほか、三元里人民抗英烈士紀念碑も立つ。

三元里平英団旧址／三元里平英団旧址 ★☆☆
北 sān yuán lǐ píng yīng tuán jiù zhǐ 広 saam¹ yun⁴ lei, ping⁴ ying¹ tyun¹ gau³ ji
さんげんりへいえいだんきゅうし／サァンユゥエンリイピンインチュアンジィウチイ／サアンユゥンレイベェンインチュンガウジイ

　アヘン戦争(1840〜42年)中に武装蜂起した三元里の住民をたたえる三元里平英団旧址。1841年、イギリスは広州への侵略を進め、越秀公園にあった四方砲台を占領して司令部をおいていた。このとき三元里住民がイギリス軍の暴行を受けたことで、野菜農家の魏少光らを中心に、三元里の住民は平英団を結成し、イギリスに反撃し、群衆がそれに続い

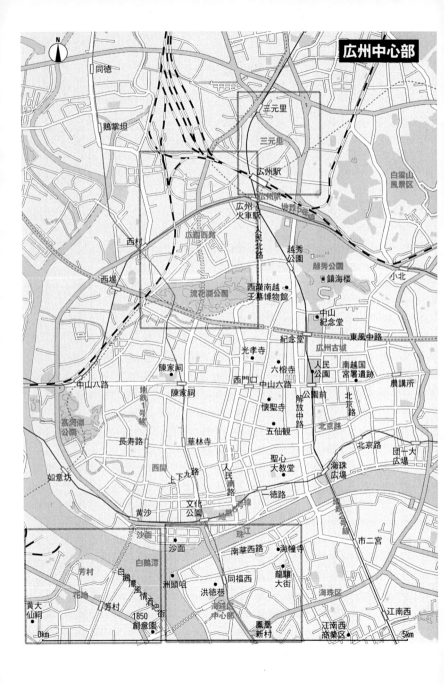

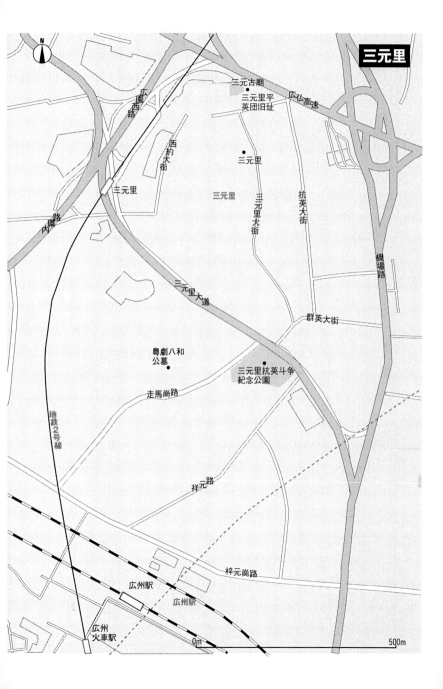

た。結果、三元里、番禺、南海、増城、従化といった103の街の
住民が蜂起したため、イギリス軍は撤退をよぎなくされた。
人びとが自発的に戦ったという史実から、1949年の新中国
成立後、三元里平英団は高く評価されることになった。

三元古廟／三元古庙★☆☆

⑪ sān yuán gǔ miào ⑫ saam¹ yun⁴ gú miu³
さんげんこびょう／サァンユゥエングゥミィアオ／サアンユングゥミゥウ

三元里人民抗英闘争紀念館として開館している古い廟(三
元古廟)は、清(1616～1912年)初に創建された。三元古廟には村
の守り神である北帝(真武大帝)が安置され、清朝乾隆帝時代
の1785年に刻まれた石碑も残っている。長いあいだこの三
元古廟はさびれていたが、1950年に抗英闘争紀念館として
整備されて現在にいたる。

★★☆
三元里／三元里 サァンユゥエンリイ／サアンユゥンレイ
白雲山風景区／白云山风景区 バァイユゥンシャンフェンジンチゥウ／バッウンサアンフォンギンコォイ
南華西路／南华西路 ナァンフゥアシイルゥ／ナアムワサアイロゥ

★☆☆
三元里平英団旧址／三元里平英团旧址 サァンユゥエンリイビンインチュアンジゥチイ／サアンユゥンレイ
ベェンインチュンガゥジイ
三元古廟／三元古庙 サァンユゥエングゥミィアオ／サアンユングゥミゥウ
粤劇八和公墓／粤剧八和公墓 ユゥエジュウバアハァゴォンムウ／ユッケッバアッウォゥゴォンモウ
流花湖公園／流花湖公园 リィウファアフゥゴォンユゥエン／ラゥファアウゥゴォンユゥン
海珠区／海珠区 ハァイチュウチゥウ／ホオイジュウコォイ
洪徳巷／洪德巷 ホォンダアシィアン／ホォンダアッホォン
海幢寺／海幢寺 ハァイチュウアンスゥ／ホオイチョンジイ
江南西商業区／江南西商业区 ジィアンナァンシイシャンイエチゥウ／ゴオンナアムサアイソオンイッコォイ
龍驤大街／龙骧大街 ロォンシィアンダアジィエ／ロォンソォオンダアイガアイ
花地／花地 フゥアデイ／ファアデゥイ
黄大仙祠／黄大仙祠 フゥアンダアシィエンツゥ／ウォンダアイシィンチィ
1850創意園／1850创意园 イイバアウウリィンチゥウアンイイユゥエン／ヤッバアッウグリィンチョオンイイユン
白鵞潭風情酒吧街／白鹅潭风情酒吧街 バァイアアタァンフェンチィンジィウバアジィエ／バアッウゥオタアム
フォンチィンザァオバァガアイ

往時の九龍城を思わせる三元里の街並み

地元の農民たちがイギリスに抵抗した、三元里平英団旧址

村の守り神である北帝がまつられた三元古廟

街角におかれていた関羽の像

粤劇八和公墓／粤劇八和公墓 ★☆☆

㉜ yuè jù bā hé gōng mù ㋐ yut³ kek³ baat² wo⁴ gung¹ mou³
えつげきはちわこうぼ／ユゥエジュウバアハアゴォンムウ／ユッケッバアッウォヴォンモウ

　　広東オペラの八和会館に属した梨園の子弟たちの眠る粤劇八和公墓。200の墓がずらりとならび、「南薛北梅(京劇の梅蘭芳に匹敵する)」と言われた薛覚先はじめ、梁蔭棠、龐順堯といった名優が眠る。これらは20世紀初頭のものがほとんどで、1917年の墓がもっとも古い。八和会館は広州の4つの墓地(現在の広州駅周辺に点在)をもっていたが、広州の都市整備とともに撤去され、ここだけが残ったという。

広園西路城市案内

西関のさらに西のエリア、広園西路
瑶台、王聖堂といった集落には
昔ながらの暮らしぶりがある

流花湖公園／流花湖公园 ★☆☆

🔠 liú huā hú gōng yuán 🔠 lau⁴ fa¹ wu⁴ gung¹ yún

りゅうかここうえん／リィウファアフウゴォンユェン／ラウファアウゥゴォンユウン

　広州古城の北西外側に広がり、南漢以来の景勝地として知られてきた流花湖公園。このあたりは晋代、珠江に続く芝蘭湖があり、ほぼ河川と一体化していたが、唐末には珠江と切り離された。この地に注目したのが広州に都をおいた南漢(917～971年)の皇室で、風光明媚な流花湖で宴をたびたび開いたという。流花湖公園は水面が敷地の3分の2をしめ、そのなかに芙蓉洲、鷺島といった島々が浮かぶ。流花湖という名称は、当時かかっていた流花橋にちなみ、あたりはヤシやイチジクなど、南国の木が茂る。また公園内には小鳥公園、流花茶芸城でお茶を楽しむ人びとの姿も見える。

広雅書院／广雅书院 ★☆☆

🔠 guǎng yǎ shū yuàn 🔠 gwóng ṇga, syu¹ yún

こうがしょいん／グゥアンヤアシュウユゥエン／グゥオンンガァシュウユウン

　両広総督をつとめた張之洞(1837～1909年)の創建した広雅書院。1884年、張之洞はフランスの脅威(清仏戦争)にそなえるため、山西巡撫から華南を管轄する両広総督へ転任した。この広雅書院は、そのときの1887年に建てられ、広東の貢生、監生が集められ、近代的な教育を行なった(張之洞は李鴻章

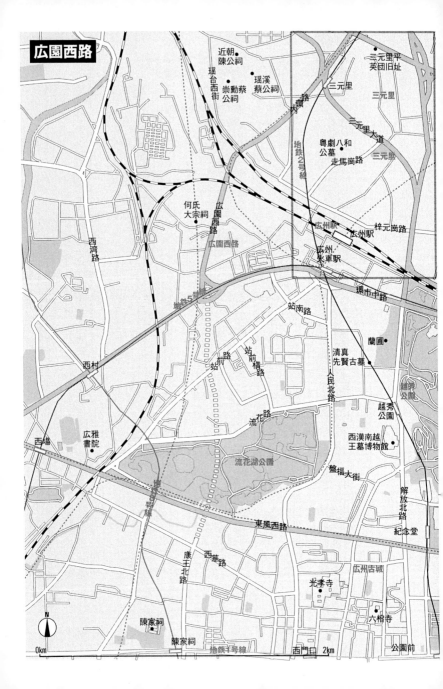

広園西路

近朝
陳公祠

瑶台
西街

瑶溪
蔡公祠

崇勲蔡
公祠

三元里平
英団旧址

三元里

三元里

三元里大道

粤劇八和
公墓

三元麟

走馬崗路

環路内

地鉄2号線

何氏
大宗祠

広
園
西
路

広園西路

広州駅

梓元崗路

広州駅

広州
火車駅

環市中路

地鉄5号線

站南路

西湾路

蘭圃

站前横路

站前路

清真
先賢古墓

站

越秀
公園

人民北路

流花路

越秀
公園

西村

広雅
書院

流花湖公園

西漢南越
王墓博物館

西場

盤福大街

解放
北路

東風西路

紀念堂

康王
北路

西華路

広州古城

光孝寺

陳家祠

六榕寺

N

陳家祠

地鉄1号線

西門口

公園前

0km   2km

や左宗棠とともに強硬な外交、洋務運動を進めた）。現在は広雅中学の
敷地にあたり、五間三進の建築となっている。

何氏大宗祠／何氏大宗祠 ★☆☆

北 hé shì dà zōng cí **広** ho⁴ si³ daai³ jung¹ chi⁴

かしだいそうし／ハアシイダアゾォンツウ／ホォシイダアイジョンチィ

　広州古城郊外に位置する王聖堂大街の一角に残る何氏大
宗祠。何氏は明の永楽帝(在位1402〜24年)時代に遷ってきて
以来、広州のこの地に居住しているという。王聖堂という地
名は、当時、近くの蓮池に黄鱔(タウナギ)が多く生息していた
ため、黄鱔塘、黄勝堂、王聖堂と似た音へと少しずつ変化し
たのだという。この何氏大宗祠は明清交替期(17世紀)に建て
られ、「何氏大宗祠」の扁額が見える。幅12.46m、奥行26.6m
の中庭をもつ民居で、文革(20世紀)で破壊をこうむったあ
と、再建された。

近朝陳公祠／近朝陈公祠 ★☆☆

北 jìn cháo chén gōng cí **広** gan³ jiu¹ chan⁴ gung¹ chi⁴

きんちょうちんこうし／ジンチャオチェンゴォンツウ／ガァンジィウチャンゴォンチィ

　瑶台陳族の暮らす地に立ち、宗族が集まって祭祀を行
なった近朝陳公祠。瑶台陳族は、宋代に河南省から広東省に
遷り、清の康熙帝(在位1661〜1722年)時代に現在の瑶台村へ移
住してきた。幅15.65m、奥行19.8m、東向きの清代の建築で、

二進目を光遠堂と呼ぶ。近くにある陳家祠(陳氏書院)と区別して、近朝陳公祠と呼ぶ。

瑶溪蔡公祠／瑶溪蔡公祠 ★☆☆

北 yáo xī cài gōng cí 広 yiu⁴ kai¹ choi² gung¹ chi⁴
ようけいさいこうし／ヤァオシイツァイゴォンツウ／イィウカアイチョイゴォンチィ

河南省光州に祖籍をもつ蔡一族の祖先をまつる瑶溪蔡公祠。蔡氏は宋代に南遷し、やがて福建省(甫田)に入り、その後、広東省に遷ってきた(華北で混乱が起こるたびに、漢民族は南下を続けた)。瑶溪蔡公祠の創建は、明(1368～1644年)代にさかのぼると言われ、中庭をもつ四合院が奥につらなる。第2堂を垂裕堂、第3堂を流耕堂という。

崇勲蔡公祠／崇勋蔡公祠 ★☆☆

北 chóng xūn cài gōng cí 広 sung⁴ fan¹ choi² gung¹ chi⁴
すうくんさいこうし／チョンシュンツァイゴォンツウ／ソォンファンチョイゴォンチィ

瑶台に残るもうひとつの蔡氏の祠廟の崇勲蔡公祠。こちらの蔡一族は河北省に源流をもち、北宋(960～1127年)時代から南遷をはじめたという。崇勲蔡公祠はいつ建てられたのかわかっていないが、清代の1893年に重建されたという記録は残っている。幅11.5m、奥行22.9mで、緑色の釉薬をかけた屋根瓦をもつ。

Bai Yun Shan

白雲山鑑賞案内

**広州市街の北にそびえる白雲山
長らくこの街を象徴する景勝地だったところで
広州のあちらこちらに白雲という地名が残る**

白雲山風景区／白云山风景区★★☆
(北) bái yún shān fēng jǐng qū (広) baak³ wan⁴ saan¹ fung¹ gíng keui¹
はくうんさんふうけいく／バイユンシャンフェンジンチュウ／バッワンサアンフォンギィンコォイ

　　北側から広州市街を守り、街を包み込むようにそびえる
白雲山風景区。白雲山は8〜6億年前の石英岩や花崗岩から
なる、30以上の峰をもつ丘陵の総称で、標高382mの摩星峰
を主峰とする(広東省最高峰の九連山の支脈で、広州の北東、21平方キ
ロメートルの規模をもつ)。白雲山という名前は、秋の日、雨があ
がったあとに白雲がたちのぼり、それがたなびく様子にち
なんで名づけられた。「南越第一山」「羊城第一秀」とたたえ
られる広州屈指の景勝地で、多くの文人に愛されてきた。清
代には山と同名の白雲寺はじめ、双溪寺、能仁寺、弥勒寺と
いった寺廟はじめ、「天南第一峰」の牌坊、道教寺院の白雲仙
館も位置した。亜熱帯性の気候であることから、植物の種類
が豊富で、漢方に使う薬草が多く自生することでも知られ
てきた。また長いあいだ白雲山から流れる水は、小北門を通
じて市街にいたり、広州市民の貴重な飲料水でもあった。現
在は森林公園として整備されていて、9月9日の重陽節には、
多くの広州人が白雲山に登る。

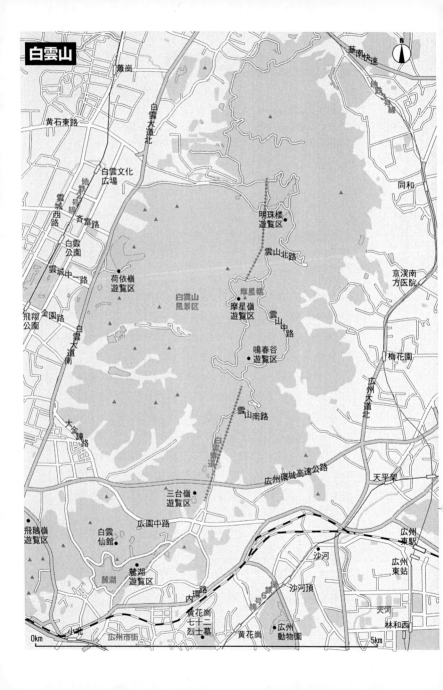

麓湖遊覧区／麓湖游览区 ★☆☆

北 lù hú yóu lǎn qū **広** luk¹ wu⁴ yau⁴ laam, keui¹

ろくこゆうらん／ルウフウヨウヨウラァンチュウ／ロックウゥヤウラアムコォイ

　　白雲山景勝地の南端に位置し、広州市街に隣接する麓湖遊覧区。「山麓にある湖(麓湖)」という名称のほかに金液池ともいう。この湖に集まる白雲山の水は、明清時代より広州の生活水に利用され、小北門から東濠涌、そして珠江に入っていた。この水はしばしば激流となり、小北門あたりが水浸しになることもめずらしくなく、1932年にも水害被害を受けた。そのため新中国建国後の1958年にこの地に人工湖を整備し、当初は游魚岡水庫といった。美しい水と山の緑に彩られ、鳥の鳴き声が聴こえるなか、亭、橋、回廊がなどが点在し、中国式庭園の聚芳園、5層からなる楼閣の鴻鵠楼も見られる。

白雲仙館／白云仙馆 ★☆☆

北 bái yún xiān guǎn **広** baak³ wan⁴ sin¹ gún

はくうんせんかん／バァイユゥンシィエングゥアン／バッワンシィングゥン

　　白雲仙館は、麓湖路のそばに立つ清朝創建の道教寺院。もともとは雲泉山館といい、広州の文人が集まって詩を詠んだり、茶や酒を飲んだ。嶺南建築様式をもち、なかに仙人の呂洞賓に捧げられている。入口には「香火千年祖庭瞻仰、雲山四面仙客棲遅」の対聯が見える。

★★☆
白雲山風景区／白云山风景区　バァイユゥンシャンフェンジンチュウ／バッワンサアンフォンギィンコォイ

★☆☆
麓湖遊覧区／麓湖游览区　ルウフウヨウヨウウラァンチュウ／ロックウゥヤウラアムコォイ
白雲仙館／白云仙馆　バァイユゥンシィエングゥアン／バッワンシィングゥン
三台嶺遊覧区／三台岭游览区　サァンタァイリィンヨォウヨウラァンチュウ／サアントオイリィンヤウラアムコォイ
鳴春谷遊覧区／鸣春谷游览区　ミィンチュングゥヨォウラァンチュウ／ミィンチュアンゴッヤウラアムコォイ
摩星嶺遊覧区／摩星岭游览区　モオシィンリィンヨォウラァンチュウ／モオシィンリィンヤウラアムコォイ
明珠楼遊覧区／明珠楼游览区　ミィンチュロォロォウヨォウラァンチュウ／ミィンジュウロオヤウラアムコォイ
荷依嶺遊覧区／荷依岭游览区　ハアイイリィンヨォウラァンチュウ／ホォイイリィンヤウラアムコォイ
飛鵝嶺遊覧区／飞鹅岭游览区　フェイアアリィンヨォウラァンチュウ／フェインゴリィンヤウラアムコォイ

三台嶺遊覧区／三台岭游览区★☆☆

㊥ sān tái lǐng yóu lǎn qū ㊭ saam[1] toi[4] ling, yau[4] laam, keui[1]

さんたいれいゆうらんく／サァンタァイリィンヨォウラァンチュウ／サアントォイリィンヤウラアムコォイ

亜熱帯の自然がつくる豊かな植生で知られる三台嶺遊覧区。季節に応じてさまざまな花が咲く「雲台花園」、階段状に水が流れる「飛瀑流彩」、サボテンやヤシの木、蘭などめずらしい熱帯植物が栽培されている「玻璃温室」、奇妙なかたちのさまざまな岩が集まる「岩石園」、国内外の華やかな色のバラが見られる「玫瑰園」、いくつかの彫刻が安置された「誼園」などからなる。またここから山頂部に向かって、1986年に開通した白雲索道が伸びている。

鳴春谷遊覧区／鸣春谷游览区★☆☆

㊥ míng chūn gǔ yóu lǎn qū ㊭ ming[4] cheun[1] guk[1] yau[4] laam, keui[1]

めいしゅんこくゆうらんく／ミィンチュングウヨォウラァン・チュウ／ミィンチュアンゴッヤウラアムコォイ

白雲索道をのぼった先の白雲山、山頂付近に広がる鳴春谷遊覧区。小川のせせらぎが聴こえる「蒲谷」、清代以来の伝統をもち、金剛法界（天王殿）、大雄宝殿、慈雲殿などからなる「能仁寺」、白雲山古建築のなかで唯一残っている宋代転運使陶定による「天南第一峰牌坊」、山頂公園に位置し、しばしば羊城八景にも選ばれてきた「白雲晩望」、野鳥の生息する「鳴春谷」といった景勝地からなる。

摩星嶺遊覧区／摩星岭游览区★☆☆

㊥ mó xīng lǐng yóu lǎn qū ㊭ mo[1] sing[1] ling, yau[4] laam, keui[1]

ませいれいゆうらんく／モオシィンリィンヨォウラァンチュウ／モオシィンリィンヤウラアムコォイ

白雲山にそびえる30を超す峰のうち、最高峰（標高382m）の摩星嶺を擁する摩星嶺遊覧区。ちょうど白雲山の中心に位置する景区には、この山でもっとも有名な泉「九龍泉」がわき、次のような伝説が残っている。秦代（紀元前3世紀）、鄭安期が薬草を求めて白雲山に入山したとき、泉はなかったが、ある日突然、9人の白い子どもたちが現れ、9色の龍に変身

豊かな緑は亜熱帯の植生

越秀山は白雲山の支脈でもある

温暖な気候で1年中、花が咲くことから花城と呼ばれる広州

して飛びたち、九龍泉がわき出したという。長さ14m、高さ4mで、龍の刻まれた「九龍壁」、宋代創建の白雲寺の地に残る「広州碑林」、清代に建てられた「南雅堂」、嶺南の文人が集まった「仙墨軒」、白雲山の最高峰でもとは碧雲峰といった高さ382mの「摩星嶺」などが点在する(また双渓寺を前身とする双渓別墅や嶺南園林の見られる山荘旅舎も位置する)。広州の人びとは昔から白雲山に登って幸運を願う習慣があり、その場所こそ摩星嶺遊覧区だった。

明珠楼遊覧区／明珠楼游览区★☆☆
⑬ míng zhū lóu yóu lǎn qū ⑭ ming⁴ jyu¹ lau⁴ yau⁴ laam, keui¹
めいじゅろうゆうらんく／ミンチュロウヨウヨウウランチュウ／ミィンジュウラオヤウラアムコイ

　白雲山北西部に広がる明珠楼遊覧区。巨大な黄白色石英岩に文字が刻まれた「白雲松涛」、陶淵明『桃花源記』を思わせる桃花の世界「桃花澗」、こぶりな廟を前身とする「水月閣」はじめ、「黄婆洞水庫」や「梅花谷」「回帰林」「松涛別院」といった景勝地が点在する。

荷依嶺遊覧区／荷依岭游览区★☆☆
⑬ hé yī lǐng yóu lǎn qū ⑭ ho⁴ yi¹ ling, yau⁴ laam, keui¹
かいれいゆうらんく／ハアイイリィンヨウラァンチュウ／ホイイリィンヤウラアムコイ

　白雲山の西麓(西門付近)に位置し、雲渓生態公園の名前でも知られる荷依嶺遊覧区。ライチ、リュウガン、マンゴーなどの嶺南の果物を栽培する「果香園」、3つの池と谷、落水式の水流が見られる「畳水園」、亜熱帯の嶺南風情を楽しみ、四季を感じることのできる「観荷園」などからなる。

飛鵝嶺遊覧区／飞鹅岭游览区★☆☆
⑬ fēi é lǐng yóu lǎn qū ⑭ fei¹ ngo⁴ ling, yau⁴ laam, keui¹
ひがれいゆうらんく／フェイアアリィンヨウラァンチュウ／フェインゴリィンヤウラアムコイ

　広州駅にもほど近い白雲山南西端エリアにあたる飛鵝嶺遊覧区。広州彫塑公園として開放されていて、「華夏柱」「抗

非典紀念標志」「南州風採」「広州風情街」など、広州にまつわ
るテーマにそった彫刻や浮き彫りが見られる。

白雲山の麓に、広州の街は開けた

広州市街北東城市案内

中心部から郊外へと広がっていく広州の街
北部や北東部には広大な敷地をもつ
大学や植物園などが位置する

華南植物園／华南植物园★☆☆
⑪ huá nán zhí wù yuán ⑫ wa⁴ naam⁴ jik³ mat³ yun⁴
かなんしょくぶつえん／フゥアナァンチゥウユゥエン／ワナアムジッマッユン

　広州東の郊外、広大な敷地にガジュマルや亜熱帯の植物をはじめとする5000種類以上の品種が栽培されている華南植物園。この華南植物園は著名な植物学者の陳煥鏞が1929年に創建した国立中山大学農林植物研究所を前身とする。1954年には植物学、生態学、植物資源の研究を行なう中国科学院の管轄となり、1956年に植物園として開園した。「羊城八景」にもあげられる「龍洞琪林」はじめ、「木蘭園」「棕櫚園」「姜園」など、38もの景勝地が美しい山と渓谷、清らかな水、鳥のさえずりと花のなかに点在する。1年中さまざまな花が咲き誇る広州は「花城」の別名をもち、この華南植物園でも四季折々の自然を感じられる。また広州では古くから大晦日に行なわれる花市が有名で、華南植物園でも大変なにぎわいを見せる。

神農草堂／神农草堂★☆☆
⑪ shén nóng cǎo táng ⑫ san⁴ nung⁴ chóu tong⁴
しんのうそうどう／シェンノォンツァオタァン／サンノォンチョオウトォン

　漢方薬の産地として知られた白雲山の東麓に残る神農草堂(中医薬博物館)。神農は古代中国伝説上の帝王で、人びとに

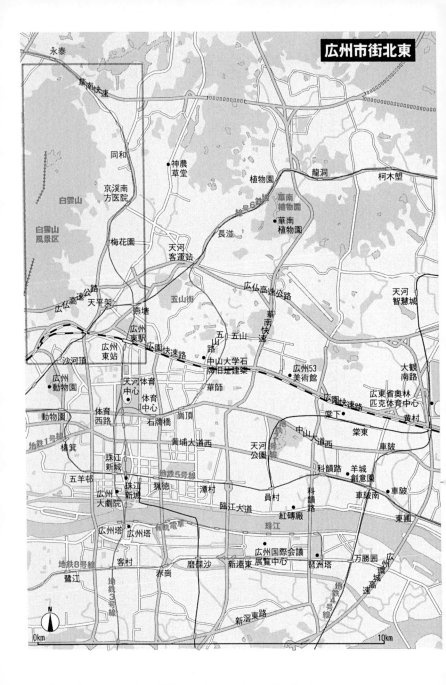

広州市街北東

永泰
華南快速
同和
神農草堂
植物園
龍洞
柯木塱
京渓南方医院
華南植物園
白雲山
華南植物園
白雲山風景区
梅花園
長湴
天河客運站
広仏高速公路
天河智慧城
広仏高速公路
天平架
五山街
華南快速
広仏高速公路
燕塘
五山路
五山
広州東駅
沙河頂
広州東站
広園快速路
中山大学石牌旧址建築
広州53美術館
大観南路
広州動物園
天河体育中心
華師
広東省奥林匹克体育中心
動物園
体育中心
広園快速路
黄村
楊箕
体育西路
石牌橋
岡頂
堂下
黄村
地鉄1号線
黄埔大道西
中山大道西
棠東
車陂
珠江新城
天河南公園
車陂南
五羊邨
地鉄5号線
科韻路
羊城創意園
車陂
広州大劇院
珠江新城
猟徳
潭村
員村
科韻路
広州塔
広州塔
有軌電車
臨江大道
紅磚廠
珠江
東圃
地鉄8号線
客村
赤岡
磨碟沙
新港東
広州国際会議展覧中心
琶洲塔
万勝囲
広州環城高速
鷺江
地鉄3号線
地鉄4号線
新滘東路

N

0km   10km

農耕と医薬をもたらした神さまとして信仰されている。漢方薬は生薬という自然に自生する根や葉、種、などの植物や鉱物を薬として、身体にとりこみ治すことを特徴とする（神農は中国に生息する百草の性質を把握するため、自ら口にしながら調べたという）。神農草堂では、中国医学の歴史や文化、白雲山や嶺南の薬草、毒性のある薬草などが展示で紹介されている。また神農、黄帝、伊尹、華佗、葛洪、鮑姑、陶弘景といった薬草を使った道士の彫刻が見られる。

中山大学石牌旧址建築／中山大学石牌旧址建筑★☆☆

⑪ zhōng shān dà xué shí pái jiù zhǐ jiàn zhú ⑭ jung¹ saan¹ daai³ hok³ sek³ paai⁴ gau³ ji² gin² juk¹
ちゅうざんだいがくせきはいきゅうしけんちく／チョンシャンダアシュエシイパァイジィウチイジィエンチュウ／ジョオンサアンダアイホッセッパアイガオジイギンジョウ

広州市街北部の五山路上に残る灰色の古い石牌坊の中山大学石牌旧址建築。1924年、孫中山こと孫文（1866～1925年）は黄埔軍官学校と広東大学（中山大学）を設立し、孫文死後の1926年にこの大学は中山大学と改名された。この地にキャンパスがあるのは、孫文が国民党元老の鄒魯に新校園をつくるよう命じたことによる。数多くの文学者や科学者を輩出し、1934～1953年、中山大学石牌旧址はキャンパスの正門として機能していた。やがて1953年に中山大学は工、農、医、教育などの学部にわかれ、キャンパスも五山から珠江南岸の康楽園（嶺南大学）に遷った。現在は華南理工大学の敷地

白雲山風景区／白云山风景区 バァイユゥンシャンフェンジンチゥウ／パッウォンサアンフォンギンコォイ
★☆☆
華南植物園／华南植物园 フゥアナァンチィウウユゥエン／ワナアムジッマッユン
神農草堂／神农草堂 シェンノォンツァオタァン／サンノォンチョオウトォン
中山大学石牌旧址建築／中山大学石牌旧址建筑 チョンシャンダアシュエシイパァイジィウチイジィエンチュウ／ジョオンサアンダアイホッセッパアイガオジイギンジョウ
棠下／棠下 タァンシィア／トォンハァ
広州53美術館／广州53美术馆 グゥアンチョウウサァンメイシュウグゥアン／グゥオンジョウングサアンメイソゥグウン
車陂／车陂 チェエベェイ／チェエベェイ
広東省奥林匹克体育中心／广东省奥林匹克体育中心 グゥアンドォンシェンアオリンピイカアティイユウチョンシィン／グゥオンドオンサアンオウラムパッハッタアイヨッジョオンサアム
羊城創意園／羊城创意园 ヤァンチャアンチゥウアンイイユゥエン／ヤアンセンチョンイイユン

047

広州市街北東城市案内

となっていて、石牌旧址には「国立中山大学」の6文字が刻まれているほか、西門牌坊、亭の劉義亭が残っている。

広州53美術館／广州53美术馆 ★☆☆

㉛ guǎng zhōu wǔ sān měi shù guǎn ㉓ gwóng jau¹ ng, saam¹ mei, seut³ gún
こうしゅうごおさんびじゅつかん／グゥアンチョウウウサァンメイシュウグゥアン／グゥオンジョウングサアンメイェイソッグウン

　市街北部の匯景新城、広州高速線に隣接する53美術館(53 Art Museum)。古い産業建築を利用しての現代アートの美術館として開館した。絵画、彫刻、映像などの現代美術が展示され、アート、ファッションの発信地となっている。

棠下／棠下 ★☆☆

㉛ táng xià ㉓ tong⁴ ha³
どうか／タァンシィア／トォンハァ

　棠下は南宋(1127～1279年)時代からあった城中村で、広州が拡大するなかで市街地に組み込まれた。明清時代以来の水月宮、観音廟といった寺廟が残るほか、1958年に毛沢東が棠下を訪れ、この地の農村を激励したこともある。天河開発区の東部、棠下の中心を中央大街が走り、起業家の集まる棠下・智匯PARK園区も位置する。

車陂／车陂 ★☆☆

㉛ chē bēi ㉓ che¹ bei¹
しゃひ／チェエベェイ／チェエベェイ

　天河中心部から東に位置し、全長20.4kmの車陂涌ほとりに位置する車陂。天河区東圃鎮西側に位置する城中村、明清時代の記録には「番禺県には車陂などの埠頭があり、川沿いは兵士が守っている」と残っている。この川こと車陂涌は、龍眼洞の笤箕窩水庫から流れて、広州畜牧場、華南植物園、車陂村、東圃をへて、珠江へいたる。現在、この車陂涌で、毎年5月初旬(端午)に広州最大の龍舟競漕(ドラゴンボート)が行なわれ、それは荔枝湾の花船ともくらべられる広州の風

道端に小さな仙人がまつられていた

チャイナポスト、郵便は近代以降に整備された

広州といえば飲茶、点心をつまむ

広州東郊外は20世紀末から発展をとげた

物詩となっている。

羊城創意園／羊城创意园★☆☆
㉑ yáng chéng chuàng yì yuán ㉖ yeung⁴ sing⁴ chong² yi² yun⁴
ようじょうそういえん／ヤァンチャアンチュゥアンイイユゥエン／ヤアンセンチョンイイユン

　天河区中心部から東、黄埔大道に位置する羊城創意園。新聞の発行元である羊城晩報報業集団(新聞社)の古い工場があったところで、2007年に工場の建物をリノベーションして開業した。デザイン、アートなど、広州の文化芸術の新たな発信基地となっている。

広東省奥林匹克体育中心／广东省奥林匹克体育中心★☆☆
㉑ guǎng dōng shěng ào lín pǐ kè tǐ yù zhōng xīn ㉖ gwóng dung¹ sáang ou² lam⁴ pat¹ hak¹ tái yuk³ jung¹ sam¹
かんとんしょうおりんぴっくたいいくちゅうしん／グゥアンドォンシェンアオリィンピイカアティイユゥチョンシィン／グゥオンドンサアンオウラムパッハッタアイヨッジョオンサアム

　スタジアム、テニス場、水泳やダイビングプールといったスポーツ施設が集まる広東オリンピックスポーツセンター(广东省奥林匹克体育中心)。天河区東埔鎮黄村に位置し、2001年に広東省体育局によって設立された。流線型の屋根のデザインは、スピード感、情熱、高貴な精神などを象徴し、天河体育中心体育場、広州体育館とともに2010年広州アジア大会の会場となった。8万人の観客を収容できる。

海不揚波

黄埔城市案内

珠江をくだった広州東部の黄埔区
南海へ続く海港があるこの地も
今では開発の波が押し寄せている

黄埔区／黄埔区 ★★☆

⑪ huáng bù qǔ ⑥ wong⁴ bou² keui¹
こうほく／フゥアンブウチュウ／ウォンボォウコォイ

　広州市街から珠江を東にくだり、外港のおかれている黄
埔は広州「東大門」とも呼ばれてきた。古くから黄埔は天然
の良港として知られ、河港の広州港に対して東の黄埔港は
より大きな船舶が停泊できる海港となっている。南崗鎮扶
胥鎮には晋代の265年から港があり、隋(581～618年)代、こ
の地に南海神廟(扶胥港)がつくられた。以来、黄埔は海のシ
ルクロードの起点となり、南朝の梁(535年)代にインド人が
来訪したという記録も残っていて、南海神廟のある廟頭村
あたりは港町として発展した。宋代、中原が混乱するなか、
漢族が黄埔(鹿歩村)に南遷してきて、黄埔地区にも官営の県
学、民間の書院などがつくられた(中華の儒教秩序がもちこまれ
た)。1647年、清朝が海禁をとくと、連雲港、寧波、厦門ととも
に広州黄埔が貿易拠点となったが、アヘン戦争(1840～42年)
後、この地は土砂の堆積で大型船が停泊できなくなり、同治
年間(1861～75年)に港は対岸の長洲島北岸に遷った。中華民
国時代に入った1918年、孫文が『建国方略』で軍艦の遡航で
きる南方大港を構想したとき、ここ黄埔港が選ばれた経緯
もあり、水師学堂、広東海軍学校、黄埔軍校、中正中学などが
集まっている。また同時代に黄埔の魚珠(1910年)、文冲(1905

黄埔～南海神廟

N

三溪
大沙地　大沙東　文沖
魚珠　　　　　　黄埔東路　黄埔区
地鉄5号線
黄埔　　地鉄13号線　裕豊囲　双崗
魚珠
碼頭
珠江
新洲島　　軍校　黄埔軍校　　　　　　　　　　　南海
碼頭　旧址　　　　　　　　　　神廟
0km　長洲島　　　　　　　　　　　　　　南海　南海～
　　　　　　　　　　　　　　　　　　　神廟　神廟
5km

黄埔～番禺

広州駅
広州
東駅
広州
市街
天河　　　　　　　　　黄埔区
　　　　　　　　　　　魚珠
広州塔　　地鉄5号線
地鉄3号線　　　　　　　地鉄13号線
珠珠歴史
中心城　　　　　　　　　　　　　　　　南海
　　　　黄埔軍校　黄埔～南海神廟　神廟
　　　　旧址　長洲島
地鉄2号線
地鉄3号線　　　広州　　　　　　　　　　　　広州経済
　　　　　　　大学城　　　　　　　　　技術開発区
　　　　　　　　　　　　　　　　　　　　東莞
　　　　　　　　莎蔭　　　　　速
　　　地鉄7号線　山房　　　　台高　珠
広州香江　　　莎蔭　　　　　　　広　　江
野生動物　　　山房　　　　　　　　広
世界　　　漢溪　　　　　　　　　澳　蓮花山
広州　　長隆　　　　　　　　　　高　風景区
南駅　　　　　　　　　　番禺区　速
　　　　　　　　　南沙港快速路　　　　　蓮花山水庫
　　　　　番禺　　番禺鎮
　　　博物館　　南橋鎮
　　　　　　　番禺
　　　　　　　広場
　　　　沙湾
南齊苑　　古鎮
宝墨園　留耕堂
　　　　　　　　　　　　　　　　南沙へ　獅子洋
N
0km　　　　　　　　　　　　　　　　　　30km

年)といった市場(集落)が立ちあがっていて、広州の郊外型農業商品生産拠点にもなっている。西の広州の中心部まで15km、また東の東江を越えた先に東莞が位置し、そこから深圳、香港へ続く地の利をもち、現在では黄埔区に広州経済開発区もおかれている。

黄埔という名称

　黄埔という名称は、隋(581〜618年)代以来この地に立つ南海神廟前の珠江にあった「黄木之湾」からとられている。この湾(港)には、川の両岸に黄木の立つ黄木河が流れ込んでいて、当初、あたりの岸辺は泥の灘が広がり、「浦」と呼ばれていた。そして「浦」と「埔」の音が似ていることから、「黄埔」と呼ばれるようになった。また南宋(1127〜1279年)時代、このあたり(黄木河南岸)に珠江にのぞむ村が開村されたことによるというもうひとつの説もある。当初、この村には黄、関、衛という三姓が暮らしていたが、のちに黄氏が勢力を増したため、「黄埔(黄氏の地)」となった。また珠江対岸の長洲島には、

★★★
南海神廟／南海神庙 ナァンハァイシェンミャオ／ナアムホオイサァンミゥウ
黄埔軍校旧址／黄埔军校旧址 フゥアンブウジュウンシィアオジゥチイ／ウォンボォウグゥアンハアウガオジイ

★★☆
黄埔区／黄埔区 フゥアンブウチュウ／ウォンボォウコイ
沙湾古鎮／沙湾古镇 シャアワァングウチェン／サアワアングウジアン
留耕堂／留耕堂 リィウガァンタァン／ラァウガアントォン
宝墨園／宝墨园 バァオモオユゥエン／ボオウマッユン
余蔭山房／余荫山房 ユゥインシャンファン／ユゥヤアムサアンフォン
蓮花山風景区／莲花山风景区 リィアンフゥアシャンフェンジィンチュウ／リンファアサアンフォンギインコオイ

★☆☆
広州経済技術開発区／广州经济技术开发区 グゥアンチョウジンジイジイシュウカァイファアチュウ／グゥオンジョウギインジャイゲェイソッホォイファアッコオイ
長洲島／长洲岛 チャアンチョウダァオ／チャアンジャアウドォウ
広州大学城／广州大学城 グゥアンチョウダアシュウエチャアン／グゥオンジョウダアイホッシィン
番禺区／番禺区 バンユゥチュウ／ファアンユゥコオイ
南粤苑／南粤苑 ナァンユゥエュウエン／ナアムユッユウン
広州香江野生動物世界／广州香江野生动物世界 グゥアンチョウシィアンジィアンイイシェンドォンウウシイジエ／グゥオンジョウホォエンゴオンイェサアンドォンマッサァイガイアイ
番禺博物館／番禺博物馆 バァンユウボオウグゥアン／ファアンユゥボッマッグウン

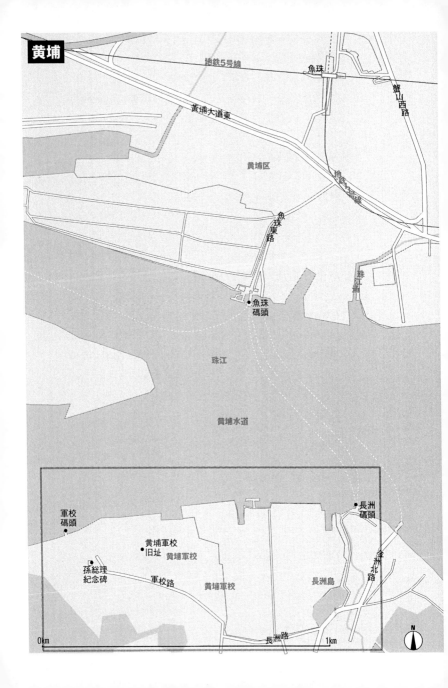

黄埔

地鉄5号線　魚珠　蟹山西路

黄埔大道東

黄埔区

魚珠東路

珠江涌

魚珠
碼頭

珠江

黄埔水道

軍校
碼頭

長洲
碼頭

黄埔軍校
旧址　黄埔軍校

孫総理
紀念碑

金洲北路

軍校路　黄埔軍校

長洲島

長洲路

0km　　　　1km

N

黄埔軍校

- 軍校碼頭
- 孫総理紀念室
- 長洲碼頭
- 俱楽部
- 軍校旧址 包括校本部
- 遊泳池
- 軍校路
- 黄埔軍校旧址
- 東征陣亡烈士紀念坊
- 孫総理紀念碑
- 長洲路
- 白鶴崗砲台
- 北伐紀念碑
- 大坡地砲台
- 東征陣亡烈士墓園
- 思亭路
- 済深公園遺址 教思亭

N

黄埔軍校と長洲島

- 珠江
- 黄埔水道
- 新洲島
- 新洲湾
- 軍校碼頭
- 軍校旧址 包括校本部
- 長洲碼頭
- 孫総理紀念碑
- 軍校路
- 黄埔軍校
- 海軍黄埔軍事博覧中心
- 海洋路
- 思亭路
- 長洲島
- 長洲路
- 深井文塔
- 金洲北路
- 深井路
- 金洲南路
- 中山公園前路
- 辛亥革命紀念館
- 長洲湾

N

0km   2km

清代以来、こちらに遷った黄埔古港、黄埔古村が残り、当初、この集落は凰洲や鳳浦と呼ばれていて、外国船員が似た音である「黄埔」と間違って呼んだことが、黄埔の由来であるともいう。この村の黄埔という地名が、黄埔軍校旧址の名前にとり入れられることになった。

黄埔軍校旧址／黄埔军校旧址★★★

北 huáng bù jūn xiào jiù zhǐ 広 wong⁴ bou² gwan¹ haau³ gau³ jí
こうほぐんこうきゅうし／フゥアンブウジュウンシィアオジィウチイ／ウォンボォウグゥアンハアウガオジイ

広州市街から東20kmに位置し、珠江に浮かぶ長洲島に残る黄埔軍校旧址。清代、ここは粤海関の黄埔分関がおかれ、その場所に、1924年の第一次国共合作で、将校(軍官)を養成する陸軍軍官学校が建設された。1926年、地名をとって黄埔軍官学校とあらためられたこの学校は、総理に孫文(1866～1925年)、初代校長に国民党の蒋介石(1887～1975年)、政治主任に共産党の周恩来(1898～1976年)が就任するなど、国共合作の象徴と見られていた。黄埔軍校は、党の組織下に軍をおいたソ連の援助でつくられたが、生活規範などは蒋介石が留学した日本陸軍にならったという。1927年には4981人が卒業して国民党軍の中枢をになったほか、武漢、潮州、南寧、長沙にも分校がおかれた。黄埔軍校は国民政府が広州から

★★★
黄埔軍校旧址／黄埔军校旧址 フゥアンブウジュウンシィアオジィウチイ／ウォンボォウグゥアンハアウガオジイ
★★☆
黄埔区／黄埔区 フゥアンブウチュウ／ウォンボォウコォイ
軍校旧址包括校本部／军校旧址包括校本部 ジュウンシィアオジィウチイバァオクゥオジィアオベェンブウ／
グゥアンハアウガァヴジィバァウクッハアブゥンボォウ
★☆☆
孫総理紀念室／孙总理纪念室 スゥンジョンリイジイニィエンシイ／シュンジョオンレェイゲエニィムサッ
孫総理紀念碑／孙总理纪念碑 スゥンジョンリイジイニィエンベェイ／シュンジョオンレェイゲエニィムベェイ
総理室／总理室 ジョンリイシイ／ジョオンレェイサッ
倶楽部／俱乐部 ジュウラアブウ／クウイロッボォウ
長洲島／长洲岛 チャアンチョウダァオ／チャアンジャアウドォウ
辛亥革命紀念館／辛亥革命纪念馆 シンハイガアミィンジイニィエングゥアン／サアンホォイガアッミィンゲエ
イニィムグゥン
深井文塔／深井文塔 シェンジンウェンタア／サアムジェンマァンタアッ

遷った1930年に南京に、日中戦争が開戦した1937年に成都（四川省）に移動し、本部は1938年の日本の広州侵略時に破壊された（やがて新中国設立の1949年に国民党の主力とともに台湾に逃れた）。こうしたなか黄埔軍校創立60周年にあたる1984年、黄埔軍官学校旧址として整備され、現在にいたる。

蒋介石とは

　孫文（1866～1925年）死後、国民党で実権をにぎったのは、黄埔軍官学校の初代校長をつとめた蒋介石（1887～1975年）だった。儒教的価値観が尊ばれる中国では、一度教えを受けた相手を生涯、師とあおぐことから、蒋介石のもとに黄埔軍官学校で学んだ優秀な軍人が自然と集まった。そして、中国各地に軍閥の割拠するなか、孫文の意思を受け継いだ蒋介石は、1926年、広州から北伐を開始し、1928年に北京を制圧して中国に覇を唱えた。1937年に盧溝橋事件（日中戦争）が起こると、蒋介石のひきいる国民党は、南京、武漢、重慶と首都を遷しながら、日本軍と戦っている。そして戦後、共産党との国共内戦に敗れ、蒋介石は国民党をひきいて台湾へ遷ることになった（1949年、中華人民共和国成立）。こうした経緯から、台湾では孫文の三民主義に由来する青天白日満地紅旗が使われている。

黄埔軍校旧址の構成

　黄埔軍官学校は、現在の黄埔の中心がおかれている珠江北岸の魚珠対岸の長洲島に位置する。古くは南海神廟のある北岸が黄埔の港だったが、土砂の堆積によって明清時代に珠江南岸に港がおかれたことによる。1924年設立の黄埔軍校旧址は、清代、粤海関黄埔分関のあった場所が利用されることになった。魚珠碼頭と結ばれている東側の長洲碼頭と西側の軍校碼頭がこの黄埔軍校旧址への足がかりとな

る。軍校碼頭から中心の軍校旧址包括校本部まで道が伸び
ており、そのそばに孫総理紀念碑、孫総理紀念室などが位置
する。また郊外には東征陣亡烈士墓園、北伐紀念碑、白鶴崗
砲台、大坡地砲台といった遺構が点在し、黄埔軍校歴史文化
建築史跡を構成する。

孫総理紀念室／孙总理纪念室★☆☆

🅝 sūn zǒng lǐ jì niàn shì 🅖 syun¹ júng lei, géi nìm³ sat¹
そんそうりきねんしつ／スゥンゾォンリイジイニィエンシイ／シュンジョオンレェイゲエイニィムサッ

060
広州郊外／黄埔・海珠・番禺・南沙・花都

黄埔軍校旧址の西側の軍校碼頭のそばに立つ孫総理紀念
室。黄埔軍官学校の総理(校長)であった孫文(1866〜1925年)が
ここで過ごした。幅22.5m、奥行15.35mの中国と西洋の要素
が混ざった黄色の外壁をもつ2階建ての建物は、清代の粤海
関黄埔分関旧址の建物を前身とするという。中山故居とも
通称される。

孫総理紀念碑／孙总理纪念碑★☆☆

🅝 sūn zǒng lǐ jì niàn bēi 🅖 syun¹ júng lei, géi nìm³ bei¹
そんそうりきねんひ／スゥンゾォンリイジイニィエンベェイ／シュンジョオンレェイゲエイニィムベェイ

珠江と港を見渡す八卦山に立つ堂々とした孫総理紀念
碑。この碑の上部に載る孫文像は高さ2.6mだが、丘陵の高
さをあわせると頂部は43mになる。1925年に孫文が北京で
客死すると、黄埔軍校では会議がひらかれ、孫文の銅像が建
てられることになった。

軍校旧址包括校本部／军校旧址包括校本部★★☆

🅝 jūn xiào jiù zhǐ bāo kuò jiào běn bù 🅖 gwan¹ haau³ gau³ ji baau¹ kut² haau³ bún bou³
ぐんこうきゅうしほうかつこうほんぶ／ジュウンシィアオジゥチイバァオクゥオジィアオベェンブウ／グゥアンハアウ
ガァウジイバァウクッハアウブウンボォウ

1924年に設立された黄埔軍官学校の校舎として使われ
ていた軍校旧址包括校本部。日本による広州侵攻時の1938
年、破壊されたが、1996年に重建され、現在は博物館として

黄色の外壁、バルコニーをもつ孫総理紀念室

軍校旧址包括校本部は、黄埔軍校の中心建築

遠くに見える孫総理紀念碑

上官との関係で軍人が育っていった

開館し、当時の資料を展示する。ここで軍事、政治などの専門知識を学んだ軍人たちは、中国近代史で大いに活躍した。軍校旧址包括校本部の建物は、外部に対して開放的な嶺南様式となっている。

総理室／总理室 ★☆☆

㉝ zǒng lǐ shì ㉑ júng lei, sat¹
そうりしつ／ゾンリイシイ／ジョオンレイサッ

　黄埔軍校総理の孫文(1866〜1925年)の執務室だった総理室。走馬楼の2階にあり、部屋の中央には丸いテーブルがあり、花瓶がおかれている。南の窓近くには孫文の夫人であった宋慶齢のための化粧鏡が見える。

倶楽部／俱乐部 ★☆☆

㉝ jù lè bù ㉑ keui¹ lok³ bou³
くらぶ／ジュウラアブウ／クウイロッボォウ

　孫総理紀念碑の西50mの地点に位置する倶楽部。幅74.6m、奥行27.8mの平面をもつ建築の中央にドーム屋根を載せる。この倶楽部は黄埔軍校があった近代当時の姿を残しているといい、集会や娯楽イベントが行なわれた。

広州郊外／黄埔・海珠・番禺・南沙・花都

南海神廟鑑賞案内

**古くから広州の外港がおかれてきた南海神廟
海上へ旅立つ者はここで祈り
航海の安全を願った**

廟頭大街／庙头大街★☆☆
⑭ miào tóu dà jiē ⑭ miu³ tau⁴ daai² gaai¹
びょうとうだいがい／ミィアオトゥダアジィエ／ミィウタウダアイガアイ

南海神廟すぐ東に扶胥港(古い時代の広州外港)があり、隋(581
～618年)代以来、廟頭村あたりは港町として発展した。続く
唐代は海上交易の発展とともに、この港の役割は増し、毎日
多くの船が廟頭村、東江あたりを往来していた。宋代、廟頭
村(廟頭大街)は中国と外国の商品の流通拠点として、広州を
とりかこむ八大鎮の筆頭となり、文人や学者も集まってい
た(東江と廟頭村を結ぶ扶胥古運河が通じていた)。明代以後、徐々に
港の重要性がさがり、その役割は珠江対岸の琵琶島や新洲
島、長洲島へと遷っていった。それとともに、かつての港町
は農村地帯へ姿を変えたが、現在の廟頭大街が往時の扶胥
港のにぎわいを伝えている。

南海神廟／南海神庙★★★
⑭ nán hǎi shén miào ⑭ naam⁴ hói san⁴ miu³
なんかいしんびょう／ナァンハァイシェンミャオ／ナアムホオイサァンミィウ

「海のシルクロード」の中国側の起点であった広州を象徴
し、中国歴代皇帝からいくどとなく冊封を受けてきた南海
神廟。3本の珠江支流が合流する場所にあり、河口(南海)にも
近いところから、古くからこの地は海上交易路の要衝(広州外

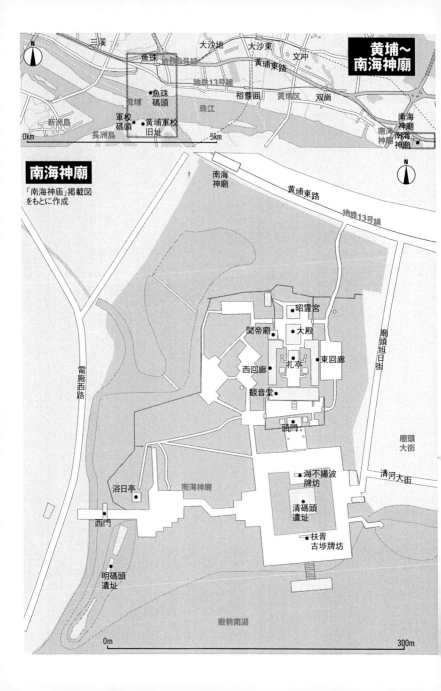

黄埔～
南海神廟

三溪　魚珠　大沙地　大沙東　文中
黄埔東路
地鉄13号線
魚珠　黄埔　裕豊囲　黄埔区　双崗
碼頭
珠江
新洲島　軍校　黄埔軍校
碼頭　旧址
長洲島
0km　　　　　　　5km

南海神廟
南海神廟
黄埔東路
南海神廟

南海神廟
「南海神廟」掲載図
をもとに作成
地鉄13号線

廟頭旭日街

昭霊宮
関帝廟　　大殿
東回廊
西回廊　　礼亭
電廠西路
観音堂
頭門
廟頭大街
海不揚波
牌坊
浴日亭　　　　　清河大街
南海神廟　　　　清碼頭
西門　　　　　　遺址
扶胥
古埗牌坊
明碼頭
遺址

廟前南湖
0m　　　　　　　　　　　　　　　　　300m

港)だった。そして隋文帝の594年、航海の安全を願って、南海神をまつる廟が建てられ、ここから海上の日の出を望むことができた。南海神は、東南西北という四つの方角を守護する四神のなかでももっとも重要な位置をしめ、古代の四大海神廟のうち唯一保存されている(中国にとっての南が海の窓口となっていたため)。その後、唐宋時代、海上交易の発達とともに、広州に出入りする中国や外国の船舶は、日常的に南海神廟に立ち寄って、航海の安全を祈願した。この南海神とともに、この廟にまつられているのが達奚司空で、唐代、インドのパーラ朝の使者としてこの地を訪れ、海神をまつる寺院を建てたと伝えられる。達奚司空はインドからもってきた木を植え、達奚司空の寺院は波羅廟、東廟と呼ばれていたという。また歴代の皇帝は、対外交易がうまくいくように、官吏を南海神廟に派遣して祭祀を行なったことから、貴重な石碑がいくつも残り、「南方碑林」とも呼ばれている。このような歴史や神話に彩られた南海神廟も、明清時代に廟前の河岸が沈降したため、より条件のよい黄埔古港に港は遷された。

★★★
南海神廟／南海神庙 ナンハイシェンミャオ／ナアムホオイサァンミィウ
黄埔軍校旧址／黄埔军校旧址 フゥアンプウジュウンシィアオジィウチイ／ウォンボォウグゥアンハアウガオジィ
★★☆
礼亭／礼亭 リイティン／ラァイティン
大殿／大殿 ダアディエン／ダアイディン
黄埔区／黄埔区 フゥアンプウチュウ／ウォンボォウコォイ
★☆☆
廟頭大街／庙头大街 ミィアオトォウダアジィエ／ミィウタウダアイガアイ
浴日亭／浴日亭 ユウリイティン／ユッヤッティン
明碼頭遺址／明码头遗址 ミンマアトォウイイチイ／ミンマアトォウワイジイ
清碼頭遺址／清码头遗址 チンマアトォウイイチイ／チンマアトォウワイジイ
海不揚波牌坊／海不扬波牌坊 ハァイブウヤァンボオパァイファン／ホオイパアッユゥオンボオパアイフォン
頭門／头门 トォウメェン／タオムゥン
昭霊宮／昭灵宫 チャオリィンゴォン／チィウリィングオン

南海神廟の構成

　南海神廟はちょうど珠江の外江(海)と内江(川)を結ぶ地点に位置する。3つの河川(支流)が合流する場所でもあり、ちょうど広州(中国)が海にのぞむところという意味をもつ。珠江の堆積を受けて川から少し内陸にあるが、もともとはここが河岸で扶胥港がおかれていた。「浴日亭」の立つ西門から入ると、南海神廟の廟内は広大な敷地が広がっている。伽藍は、南の港から北に向かって伸び、扶胥古埗牌坊、清代碼頭遺址、海不揚波牌坊、頭門、儀門、礼亭というように奥につらなり、大殿に南海神がまつられている。その背後に南海神の配偶神をまつる昭霊宮が立つほか、東回廊には左手を額の前にかざして海を見ているインド人の達奚司空像が残る。また商売の神さまである関帝廟と、海をつかさどる仏教の観音廟も位置する。

パーラ朝ゆかりの波羅廟

　唐(7〜10世紀)代、海のシルクロードを通じて、「中国南大門」にあたる広州の重要性は高まっていった。同時代のインドでは、パーラ朝(8〜12世紀)がビハールからベンガル地方の東インドにあり、篤く仏教を保護し、ヴィクラマシーラ大学やマハーボーディ寺院を整備していた。このパーラ朝から唐へ朝貢のために来訪した使節が達奚司空で、都にいたったあと帰国のタイミングを逃したため、広州南海神廟へきて、持参したパーラの木(苗木)2本を廟の前に植えた。この木はすぐに成長し、敷地内でも目立ったため、人びとは南海神廟を「波羅廟(パーラの神殿)」と呼ぶようになった(達奚司空は、海の神をまつる寺院を建てたともいう)。南海神廟の東回廊には、左手を額の前にかざして海を見ている達奚司空像が残っていて、インドのほうをさす達奚司空像は「番鬼望波羅(パーラのほうを見る外国人)」ともいう。現在の波羅樹(パーラ樹)は、1986

ここが南海神廟の中心建築の大殿

礼亭、その奥に大殿が鎮座する

屋根の上には龍が見える

2005年に発掘された清碼頭遺址

南海神廟の海不揚波牌坊

年に植えられたもので、達奚司空の誕生日はパーラ祭りとして祝われてきた。

浴日亭／浴日亭★☆☆
北 yù rì tíng 広 yuk³ yat³ ting⁴
よくじつてい／ユウリイティン／ユッヤッティン

南海神廟西側の章丘に立つ浴日亭。「日を浴びる亭」という言葉通り、ここは海からの日の出を見る場所で、古くから人びとが集まっていた。また北宋の1094年、蘇東坡が広州を訪れたとき、南海神に敬意を表し、「南海神浴日亭」を詠んだことにちなむ詩碑も立つ。浴日亭で見る朝日は、「扶胥浴日（南海神店で浴びる朝日）」と言われ、宋、元、明、清に羊城八景のひとつにもあげられていた。

明碼頭遺址／明码头遗址★☆☆
北 míng mǎ tóu yí zhǐ 広 ming⁴ ma, tau⁴ wai⁴ ji
みんまといし／ミィンマアトォウイイチイ／ミィンマアトォウワイジイ

2005年、南海神廟の発掘整備を行なったときに発見された明（1368～1644年）代の明碼頭遺址。浴日亭の南側にあり、珠江まで長さ125mほどの碼頭が続き、小さな橋や赤砂岩などが残っていた。このあたりは晋代以来、広州の外港だったが、やがて港は珠江南岸に遷った。

清碼頭遺址／清码头遗址★☆☆
北 qīng mǎ tóu yí zhǐ 広 ching¹ ma, tau⁴ wai⁴ ji
しんまとういし／チィンマアトォウイイチイ／チインマアトォウワイジイ

南海神廟の桟橋の最南端に位置する清（1616～1912年）代の清碼頭遺址。2005年、廟前の南広場を整備したときに発掘された。全長20m以上の長さの碼頭が突き出し、9段の階段が珠江に向かっている。

海不揚波牌坊／海不扬波牌坊 ★☆☆

(北) hǎi bù yáng bō pái fāng (広) hói bat¹ yeung⁴ bo¹ paai⁴ fong¹
かいふようははいぼう／ハイブウヤァンボオバァイファン／ホオイバアッユウオンボオバァイフォン

清碼頭遺址そばに立つ海不揚波牌坊。清代の建築で、広東巡撫葉名琛が1849〜50年に修築した。珠江は波をここまで揚げることはないという「海不揚波」の文言が見える。

頭門／头门 ★☆☆

(北) tóu mén (広) tau⁴ mun⁴
とうもん／トォウェン／タオムゥン

南海神廟伽藍のちょうど入口にあたる頭門(最初の門)。「南海神廟」の扁額と、緑色の屋根瓦を見せ、レンガと木による典型的な清代の建築となっている。頭門の奥は、儀門へ続く。

礼亭／礼亭 ★★☆

(北) lǐ tíng (広) lai, ting⁴
れいてい／リイティン／ラァイティン

頭門から入った先、周囲を回廊に囲まれた中庭に立つ礼亭。明代の創建で、礼亭また拝亭ともいう。開放的な建築で、ここで航海の安全を祈る、官吏による祭祀儀式が行なわれた。また東回廊には、左手を額の前にかざして海を見ているような達奚司空像が位置する。

大殿／大殿 ★★☆

(北) dà diàn (広) daai² din³
だいでん／ダアディエン／ダアイディン

南海神がまつられた南海神廟の本殿にあたる大殿。緑色の屋根瓦を載せる明代の建築で、美を象徴する二羽の鳳凰、力を意味する二匹の龍も見える。南海神は広利王、洪聖王、祝融ともいい、南方系住民の祖先であるともいう。東・南・西・北の四つの方向にある四海神のなかできわめて重要な

位置をしめ、南は火、赤色を表徴する。この大殿は、1989年に復元された。

昭霊宮／昭灵宫★☆☆

🀄 zhāo líng gōng 🀄 chiu¹ ling⁴ gung¹
しょうれいきゅう／チャオリィンゴォン／チィウリィングオン

　　大殿の背後に立つ昭霊宮は南海神廟の後殿にあたる。洪聖王(南海神)夫人がまつられていて、慈祥と穏やかさを象徴する(明順夫人が宋代の1053年に冊封された)。一方で、温和な女神は南海神同様に無限の魔力をもつという。

広州経済技術開発区／广州经济技术开发区★☆☆

🀄 guǎng zhōu jīng jì jì shù kāi fā qǔ 🀄 gwóng jau¹ ging¹ jai² gei³ seut³ hoi¹ faat² keui¹
こうしゅうけいざいぎじゅつかいはつく／グゥアンチョウジィンジイジイシュウカァイファアチュウ／グゥオンジョウギイ
ンジャイゲェイソッホオイファアッコオイ

　　珠江と東江が合流する地点の黄埔新港に隣接する広州経済技術開発区。もともとこの地の重要性は孫文(1866～1925年)が『建国方略』のなかで記していて、南方大港の構想があった。改革開放にあわせて1984年に開発区に指定され、2017年にはこの開発区と黄埔区が統合された。広州と深圳、香港、マカオを結ぶ重要な役割をにない、科学技術の研究開発を行なう研究所や企業が集まっている。

海に出る者は南海神の前で航海の無事を祈った

Umi No Shiruku

広州と海のシルクロード

**対外貿易の中心をになう中国南大門の広州
ここは海のシルクロードの拠点となっていた
南海の香料が中国へ、中国の陶磁器が西へと運ばれた**

広州からマラッカ、インド洋へ

　古代ローマの人びとが求めた中国の絹、それを運ぶ交易路をシルクロードと呼ぶ。砂漠を越え、中央アジアからローマへいたる「陸のシルクロード」に対して、積み荷を載せた船がインド洋を往来する海路を「海のシルクロード」という。中国東南沿海部の広州（広東省）や泉州（福建省）から出発した船は、東南アジア（マラッカ）を経てインド洋にいたり、コーチやカリカットといった南インド、そこからアラビア半島、東アフリカまで道は続いた。海を使った交易は、陸よりも安全で大量の物産を運ぶことができ、宋代、中国製陶磁器の人気が出ると、割れないように運べる利点などから「海のシルクロード」が繁栄した。

ペルシャ、アラブ人の中国進出

　唐（618〜907年）代、ダウ船と呼ばれる西方の帆船が交易で活躍し、4月末〜5、6月ころに吹く西南の風で南海から広州へいたり、10月末〜12月のあいだに吹く東北の風で広州から南海へいたった。唐代の広州には多数のペルシャ人やアラブ人が暮らしていて、現在の懐聖寺を中心とした蕃坊を形成し、やがて5年、10年と滞在し、子や孫の代まで暮らす者

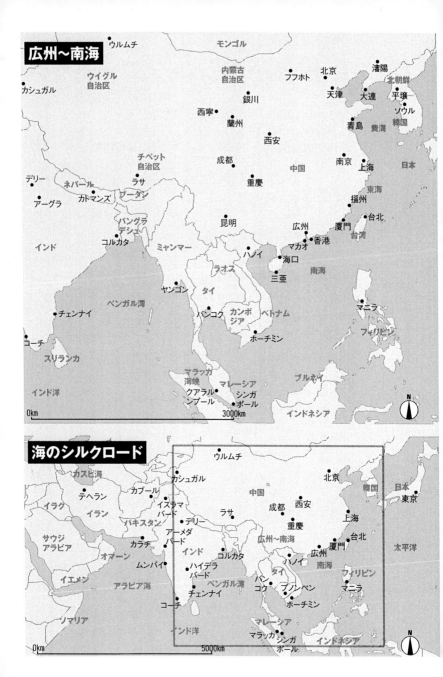

広州～南海

ウルムチ
モンゴル
内蒙古
自治区
フフホト
北京
瀋陽
北朝鮮
ウイグル
自治区
銀川
天津
大連
平壌
カシュガル
西寧
蘭州
青島
黄海
ソウル
韓国
西安
チベット
自治区
成都
中国
南京
上海
日本
デリー
ネパール
ラサ
ブータン
重慶
東海
アーグラ
カトマンズ
福州
台北
バングラ
デシュ
昆明
広州
厦門
台湾
インド
コルカタ
ミャンマー
マカオ
香港
ハノイ
海口
南海
ヤンゴン
ラオス
三亜
ベンガル湾
タイ
チェンナイ
バンコク
カンボ
ジア
ベトナム
マニラ
フィリピン
コーチ
ホーチミン
スリランカ
マラッカ
海峡
マレーシア
インド洋
クアラル
ンプール
シンガ
ポール
ブルネイ
0km
3000km
インドネシア

海のシルクロード

ウルムチ
カスピ海
カシュガル
北京
カブール
中国
韓国
日本
テヘラン
イスラマ
バード
成都
西安
東京
イラク
イラン
パキスタン
デリー
ラサ
上海
サウジ
アラビア
アーメダ
バード
カラチ
インド
重慶
台北
オマーン
ムンバイ
コルカタ
広州～南海
厦門
広州
ハノイ
イエメン
ハイデラ
バード
タイ
バン
コク
南海
フィリピン
アラビア海
ベンガル湾
プノンペン
マニラ
チェンナイ
ホーチミン
太平洋
ソマリア
コーチ
マレーシア
インド洋
マラッカ
シンガ
ポール
インドネシア
0km
5000km

（住唐）も現れた。そしてペルシャ人とアラブ人と中国人が混血して、徐々に回族が形成されていった（現在の中国では、西北中国のウイグル族などと、外見が中国人と変わらない回族が大きくイスラム教徒の二大系統となっている）。広州に都をおいた南漢の劉鋹がペルシャ女を後宮におさめて政治を腐敗させたことも知られる。

中国人の南海進出

唐（618～907年）代、インド洋交易はイスラム商人が中心的な役割をになっていたが、やがて宋（960～1279年）代には、ジャンク船や羅針盤といった中国の航海技術が進歩をとげ、多くの中国人が南海に繰り出した。これらの中心となったのが、中国東南沿岸部の広東省や福建省の人びとで、とくに15世紀になるとイスラム教徒の鄭和（1371ごろ～1434年ごろ）がインド洋から東アフリカまで航海し、明朝の威光を世界に示した。ジャンク船の大船団を率いた鄭和の大航海は、1405年から30年にわたってあわせて7回行なわれ、その宝船はマストが9本あり、船体の長さ140m、幅57mという巨大なものだった（第2次、第6次航海は、広州から出発している）。鄭和はこの航海のなかで、中国の漁網（チャイニーズ・フィッシング・ネット）を南インドにもたらし、またアフリカの動物キリンを中国にもち帰っている。

ヨーロッパ人の東方進出

15世紀以降、イスラム商人や中国商人が往来したインド洋に、大航海時代を迎えたヨーロッパが参入するようになった。その先手となったのが、大西洋にのぞむ国土をもつポルトガルで、アフリカ大陸を南下して喜望峰を越え、東方世界で、胡椒をはじめとする香辛料の獲得、キリスト教の布教を目指した。ポルトガルの船団をひきいたバスコ・ダ・ガ

マがインドのカリカットに到着した1498年は、ヨーロッパ側ではインド航路の「発見」の年とされている。やがて中国東南沿海部へ着いたポルトガルは、1557年、広州にも近いマカオの居住を許可され、以来、マカオが中国におけるキリスト教の布教拠点となった。

アヘン戦争と広州開港

茶は長らく中国でしか生産されない貴重な飲みものだった。19世紀、イギリスで飲茶（紅茶）の風習が広がったため、中国茶（紅茶）の輸入が激増し、イギリスの貿易赤字がふくらんでいた。それを相殺するため、イギリスはインド産アヘンを中国に密輸し、中国では200万人を超えるアヘン吸飲者が出た。事態を重く見た清朝は、1839年、林則徐を欽差大臣として広州に派遣し、強い態度でアヘン問題にあたった。イギリスの駐広州貿易監督官チャールズ・エリオットはアヘンを提出し、林則徐はそれを珠江河岸の虎門海岸（東莞）で焼却した。こうしたなか、イギリスのアヘン商人は政府に援助を呼びかけ、1840〜42年にアヘン戦争が勃発した。軍事力に勝るイギリスは南京にせまって勝利し、ここで南京条約が結ばれた。こうしてそれまで一港に限定されていた広州にくわえ、厦門、福州、寧波、上海が新たに開港され、香港がイギリスに割譲された（そして、続く第2次アヘン戦争後に、広州沙面に租界がおかれた）。このアヘン戦争と清朝敗北に関する情報は、長崎に入港するオランダや清の貿易船によって、逐次、日本にもたらされていた。やがてその25年後の1867年に江戸幕府は滅亡し、日本でも明治政府による近代化がはじまった。

中国からインドへ伝わったチャイニーズ・フィッシングネット

福建省泉州はもうひとつの海のシルクロード拠点

マラッカ海峡の要衝、東南アジアのマラッカ

ベンガル湾を渡ったチェンナイ(インド)の浜辺

Zhang Zhou
長洲城市案内

広州から珠江をくだった先に浮かぶ長洲島
広州東大門であるこの地には
海関跡や古い港町が残っている

長洲島／长洲岛 ★☆☆
㉜ zhǎng zhōu dǎo ㉘ cheung⁴ jau¹ dóu
ちょうしゅうとう／チァンチョウダァオ／チァンジャアウドウ

黄埔の南海神廟(扶胥港)と珠江をはさんで対岸に位置する長洲島。黄埔港の位置は時代とともに変わってきたが、長洲島には宋(960～1279年)代にすでに村があったという。長洲島の深井村は、南宋末、モンゴル軍の兵士から逃れるために、福建省から移住してきた人たちがつくった。その後の清代同治年間(1861～75年)に黄埔港と海関はここ長洲島に遷ってきて、広州沙面以前の1861年にペルシャ商人による巴斯楼が建てられ、イギリス駐在官が来訪していた(その後、より広州市街へ近い沙面へ遷った)。長洲島は軍事要塞といった性格をもっていたほか、港湾業務や造船、貿易でにぎわい、清代の景客凌公祠も残っている。こうした性格を受け継ぐように1911年の辛亥革命後、この地に黄埔軍校がつくられることになった。

辛亥革命紀念館／辛亥革命纪念馆 ★☆☆
㉜ xīn hài gé mìng jì niàn guǎn ㉘ san¹ hoi³ gaak² ming³ géi nim³ gún
しんがいかくめいきねんかん／シィンハァイガァミィンジイニィエングゥアン／サアンホォイガアッミィンゲエイニィムグゥン

1911年の辛亥革命から100周年にあたる2011年10月に長洲島金洲北路で開館した辛亥革命紀念館。辛亥革命およ

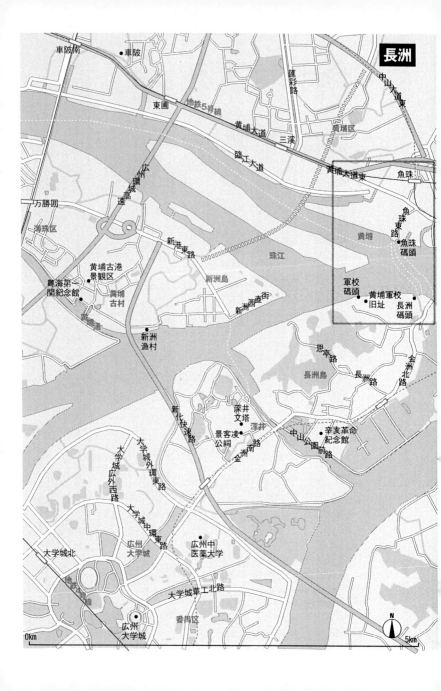

長洲

車陵南　●車陵

東圃　広鉄5号線

匯彩路

中山大道東

黄埔大道

三溪

黄埔区

臨工大道

黄埔大道東　魚珠

広　州　環　城　高　速

万勝囲

海珠区

新港東路

珠江

黄埔

魚珠東路

●魚珠碼頭

黄埔古港景観区

新洲島

鱷海第一関紀念館

黄埔古村

新洲西街

新洲東街

軍校碼頭

黄埔軍校旧址

黄埔涌

●長洲碼頭

●新洲漁村

思亭路

長洲島

長洲路

金洲北路

新化快速路

深井文塔

景客凌公祠

深井南路

中山公園

●辛亥革命紀念館

大学城外環東路

金洲南路

前路

大学城広外西路

大学城中環東路

広州大学城

広州中医薬大学

大学城北

大学城華工北路

広鉄

広州大学城

番禺区

N

0km　　　　　5km

びこの革命に参加した孫文や広東人について紹介し、日清
戦争から四川保路運動、1911年10月10日の武昌蜂起、また
その後の中国革命にいたるまでの道筋が示されている。こ
の紀念館では、文書や郵便物、織物、陶磁器、青銅器などを収
蔵する。

深井文塔／深井文塔★☆☆

㊗ shēn jǐng wén tǎ ㊗ sam¹ jéng man⁴ taap²
しんせいぶんとう／シェンジンウェンタア／サアムジェエンマァンタアッ

　　南宋(1127～1279年)時代に起源をさかのぼる深井村に立つ
深井文塔。南宋末期に元軍の兵士から逃れるために福建省
よりこの地に移住してきた凌氏一族が暮らしている。当初、
この村は金鼎と呼ばれていたが、現在の村は明末清初にで
き、門楼や祠堂、古い街並みが残っている。そのなかでも深
井文塔は、清末の1895年に建てられ、六角形の平面をもつ
3層の建築となっている。各辺の長さは3m、対角線は6.06m
で、高さは19mになる。1階は土地神、2階は文昌帝と関公帝
(それぞれ学問と武の神さま)、3階は文魁星がまつられている。長
洲島は耕作地が少なく、港の商業に従事する者が多く、深井
村では教育が重視された。現在の深井文塔は2004年に重修
された。

黄埔古港景観区（黄埔古村）／黄埔古港景观区 ★★☆

㊗ huáng bù gǔ gǎng jǐng guān qū ㊗ wong⁴ bou² gú góng gíng gun¹ keui¹
こうほここうけいかんく（こうほこそん）／フゥアンブウグウガァンジィングゥアンチュウ／ウォンボウグウゴオンギィングゥンコイ

広東省を代表する美しい街並みをもち、黄埔軍校の名称の由来にもなった黄埔古港景観区（黄埔古村）。この村はもともと干潟にとまった鳥（鳳凰）にちなんで、鳳浦と名づけられた。対岸の扶胥港（南海神廟）とともに、宋代には船が珠江南岸に集まるようになり、現在の琶洲あたりがその中心だったが、やがて東に遷って長洲島が栄えるようになった。清代の1757年に広東システムがとられて、海上交易が広州一港に限定された1757〜1842年のあいだ、大型船の来航できる広州外港の黄埔古港は大いににぎわった（1861〜75年の同治年間に外港は、北岸から南岸のこちらに遷った）。陶磁器、絹、茶などを積んだ西欧の商船は秋になると出航し、半年がかりで自国へ到着したという。当時の様子を伝える粤海第一関紀念館がこちらに残っている。アヘン戦争（1840〜42年）後、中国の港が開港されると、黄埔の代わりに上海が発展するようになった。2006年、新たに黄埔古港景観区として整備され、3kmにわたって石畳の道が続き、古い街並みとともに洪聖寺や天后宮が再建されている。当時、黄埔古村には何千人もの人が暮らしていて、多くの店舗や料理店でにぎわっていたという。

黄埔古港景観区 （黄埔古村） の構成

黄埔古港景観区は、長洲島の西側に浮かぶ新洲に位置し、珠江と並行して流れる黄埔涌のほとりに港があった。古村の入口には「鳳浦牌坊」が立ち、それはこの村が古くは鳳洲や鳳浦と呼ばれていて、外国の船員が似た音である「黄埔」と呼ぶようになったことで、黄埔という名称が定着したからだという。そして「黄埔古港址」に面して粤海第一関紀念館が位置し、刺繍がほどこされた龍の扇子や扇子箱などの

長洲島と黄埔港を往来する船

1911年の辛亥革命を牽引した孫文

大型船もここ黄埔あたりまでは遡航できた

清代の輸出品が展示されている。その奥には地元の政府によって2006年に整備された石畳の美しい街並みが続き、胡氏大宗祠、主山馮公祠、化隆馮公祠、晃亭梁公祠、榕川馮公祠、梁氏大宗祠、敬波梁公祠、文楷馮公祠、左垣家塾、北帝廟などが見られる。1900年の義和団の乱後、駐米公使をつとめた梁誠は、ここ黄埔村の出身者として知られ、清華大学の建設にも尽力した（晩年、広州黄埔村に戻ったあと、香港に遷った）。また1922年、孫文を救出した永豊船の船長をつとめた馮肇憲の故居も見られる。

新洲漁村／新洲漁村★☆☆

㊌ xīn zhōu yú cūn ㊘ san[1] jau[1] yu[4] chyun[1]

しんしゅうぎょそん／シィンチョウユウツゥン／サアンジャオユゥチュウン

長洲島の対岸、新洲島の東岸に位置する新洲漁村。1949年の新中国建国以前、広州珠江には10万人もの水上生活者がいたといい、漁業や運搬業に従事していた。1957年、国の政策を受けて、水上居民は陸上生活をはじめ、新洲漁村はその代表格となっている。珠江に面した水辺の生活は今も残り、広州では新洲漁村（海珠区）、蓮花山漁村（番禺区）、新墾紅海村（南沙区）などが水上居民の街として知られている。

革命尚未成功

Da Xue Cheng

大学城城市案内

広州市街の下流の珠江に浮かぶ島
ここは広州に都をおいた南漢の皇帝陵が残り
現在はいくつもの大学が集まる研究拠点となっている

広州大学城／广州大学城★☆☆

㉜ guǎng zhōu dà xué chéng ⑰ gwóng jau¹ daai³ hok³ sing⁴
こうしゅうだいがくじょう／グゥアンチョウダアシュウエチャアン／グゥオンジョウダアイホッシィン

　広州東郊外に浮かぶ珠江の中洲（小谷囲島）を利用した広州大学城（大学新城）。学習、研究、生産を一体化することを目的に開発され、複数の大学のキャンパスを1か所に集めた学園都市で、その面積は17平方キロメートルになる。中心の中心湖公園から放射状に計画都市が広がり、中山大学、華南理工大学、華南師範大学、広東外語外貿大学、広東工業大学、広州大学、広州中医薬大学、広東薬学院、星海音楽学院、広州美術学院、南方医科大学、広州医科大学、暨南大学といった大学が点在する。またこの島には嶺南印象園、広東科学中心も位置する。

嶺南印象園／岭南印象园★☆☆

㉜ lǐng nán yìn xiàng yuán ⑰ ling, naam⁴ yan⁴ jeung³ yun⁴
れいなんいんしょうえん／リィンナァンインシィアンユゥエン／リィンナアムヤンジャオンユン

　広州大学城南に位置し、嶺南の民衆文化、伝統的な農村風景など、広州の自然、文化、建築を再現したテーマパークの嶺南印象園。広州の建築で見られる青雲巷、趟櫳門、満洲窓をもつ西関建築、嶺南地方の風俗習慣を体感できる。また園内には、蛇行する小川や清らかな池なども見える。

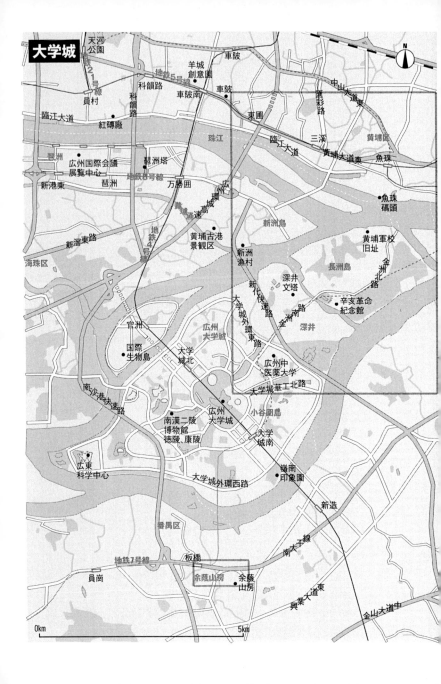

広東科学中心／广东科学中心★☆☆

(北) guǎng dōng kē xué zhōng xīn (広) gwóng dung¹ fo¹ hok³ jung¹ sam¹

かんとんかがくちゅうしん／グゥアンドォンカアシュエチョンシィン／グゥオンドォンフォオホッジョオンサアム

　　水のつくる波のような屋根をもつ建築の広東科学中心。科学技術、科学教育、科学観光などをテーマとし、13の常設テーマ館に700以上の展示品が見られる。自然、科学、芸術が一体となった博物館で、周囲には2000種類以上の植物が栽培されている。広州大学城の西端に立つ。

南漢二陵博物館／南汉二陵博物馆★☆☆

(北) nán hàn èr líng bó wù guǎn (広) naam⁴ hon² yi³ ling⁴ bok² mat³ gún

なんかんにりょうはくぶつかん／ナァンハァンアアリィンボオウグゥアン／ナアムホォンイイリィンボオッマッグゥン

　　唐以後の五代十国時代、広州に都をおいた南漢(917～971年)の皇帝墓陵が残る南漢二陵博物館。烈宗劉隠の徳陵とそれに続く高祖劉䶮の康陵からなり、2003～04年にかけてここ広州大学城小谷囲島で発掘された。この皇帝陵墓をも

とにした南漢二陵博物館は、「雲山珠水間(考古発現的広州)」と「漢風唐韻(五代南漢歴史与文化)」というふたつの展示から構成される。雲山珠水間は、秦代以前の広州人の生活の歴史と周辺地域との文化交流、秦漢時代から2200年以上にわたる広州の発展を紹介する。漢風唐韻は南漢時代の歴史、南漢時代の首都興王府(現在の広州)や南漢時代の3つの皇帝墓陵を案内する。

徳陵／徳陵★☆☆
🀄 dé líng 🀆 dak¹ ling⁴
とくりょう／ダアリィン／ダッリィン

　唐代の清海軍節度使で、南漢の実質的な創始者である烈宗劉隠(874～911年)の徳陵。劉隠はアラビア人を父型の祖先にもつともいい、海上交易で南漢を富ませた。徳陵の墓道の先に墓穴があり、奥行36.47m、幅5.82mの敷地内部は前室、通路、後室にわかれている。墓室には青磁の壺や釉薬のぬられた土器が安置されていたという。小谷囲島北亭村青崗の北側斜面に展開する。

康陵／康陵★☆☆
🀄 kāng líng 🀆 hong¹ ling⁴
こうりょう／カァンリィン／ホォンリィン

　徳陵の北800mほどの地点、南向きに鎮座する南漢皇帝の康陵。劉隠に続く高祖劉龑(889～942年)の陵墓で、917年、唐の清海軍節度使から独立して広州に南漢を創建した。康陵は942年の造営で、陵園と陵台が地上にあり、地下には地下宮が位置する(陵園の規模は南北160m、東西80mほどになる)。38行、1062字で刻まれた「高祖天皇大帝哀冊文」が見られるほか、壊れた陶器やガラス製品、銅貨などが発掘された。

国際生物島／国际生物岛 ★☆☆

🔵 guó jì shēng wù dǎo 🔵 gwok² jai² saang¹ mat³ dóu
こくさいせいぶつとう／グゥオジイシェンウゥダァオ／グゥオッジャイサアンマッドオウ

　広州大学城が位置する小谷囲島の北側に隣接して浮かぶ国際生物島（バイオ・アイランド）。2010年に国際生物島の投資開発がはじまり、バイオ企業、人材、情報の集まるバイオ産業基地となった。起業や生活に適した環境をもつ。

かつて珠江には多くの水上居民の姿があった

海珠城市案内

Hai Zhu

広州市街のちょうど対岸にあたる海珠区
それは珠江デルタ河口部の中洲のひとつでもある
高さ600mの広州塔もまたこの海珠区に立つ

海珠区／海珠区 ★☆☆

🌐 hǎi zhǔ qū 🌐 hói jyu¹ keui¹
かいじゅく／ハァイチュウチュウ／ホオイジュウコオイ

　珠江をはさんでちょうど広州市街の対岸に位置する海
珠区。長らく珠江(河)の南を意味する河南と呼ばれてきた
が、現在はかつて珠江に浮かんでいた岩礁の「海上の明珠(海
珠)」から海珠区という名前になっている。古くは、晋代の反
乱軍盧循(～411年)が南下して広州を占領し、ここ河南に盧
循城を築いたという。また唐代の621年に、番禺県がおかれ
て江南洲と呼ばれ、続く南漢時代、かつての盧循城は園林式
宮殿として利用されていた。それは江南大道あたりにあり、
現在もこの地が海珠区の中心となっている。明清時代に入
ると、珠江に面した琶洲、黄埔古村(ともに海珠区)あたりに対
外交易のための港と居留地がおかれたものの、海珠区全体
を見れば、ときおり船や漁師が立ち寄るだけのさびれた土
地に過ぎなかった。海珠区の発展がはじまるのは清代のこ
とで、珠江の流れによって干潟(草芳囲)ができて、1661年に
碼頭と倉庫がつくられ、やがて1684年、黄埔古村に粤海関が
おかれた。アヘン戦争後の1847年、イギリスは海珠区の洲
頭咀を占領して租界を築いたが、地元民の反対にあって沙
面に拠点は遷ることになった。当時は、洲頭咀から草芳囲ま
での岸辺が「河南」の領域にあたった。広州が繁栄を迎えた

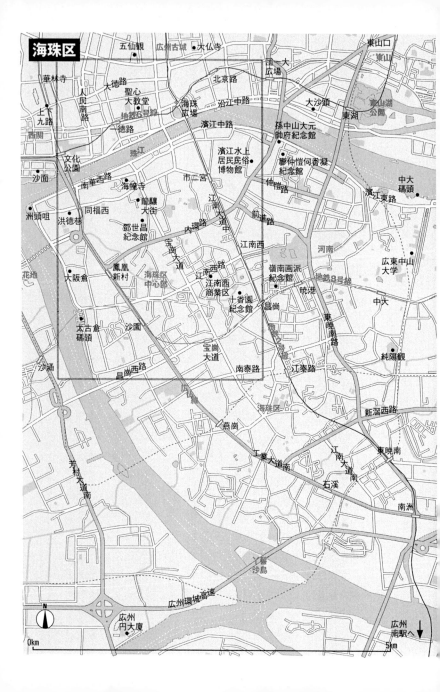

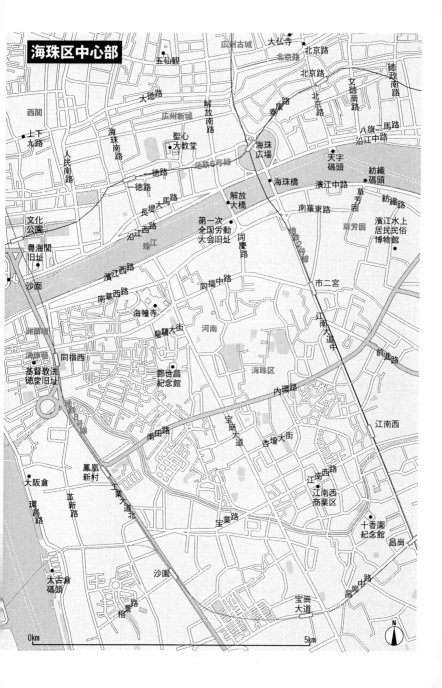

中華民国時代の1929年、4年がかりの工事で海珠橋がかけられ、広州市街と河南(海珠区)が結ばれた。そのほかにも人民橋、広州大橋、洛溪大橋、海印大橋といった橋が珠江にかかり、海珠区の中洲状の地形はニューヨーク(アメリカ)のマンハッタン島にもくらべられる。周囲を珠江水系に囲まれ、気候は温和、少し市街から離れれば、美しい農村の田園風景を見ることもできる。

太古倉碼頭／太古仓码头★☆☆

⚫ tài gǔ cāng mǎ tóu ⚫ taai² gú chong¹ ma, tau⁴
たいこそうまとう／タァイグウツァンマアトゥ／タアイグウチョオンマアトゥ

沙面前方の白鵝潭で南北にわかれ、海珠区下流で再び合流する珠江。太古倉碼頭は近代以降、広州の港となっていた

沙面や西堤からちょうど2km南、革新路近くに位置する。ここは1927〜34年に、イギリス太古洋行（航運業）の倉庫がおかれた場所で、3座の丁字形桟橋、イギリス様式の8つの倉庫、さびづらい岸壁の鉄筋など、近代広州の港湾の姿が残っている。現在は、この近代の遺産をもとにクリエイティブ産業パークとして生まれ変わり、カフェやバー、ショップなどが入居している。

大阪倉／大阪仓 ★☆☆
🅗 dà bǎn cāng 🅖 daai³ báan chong¹
おおさかそう／ダアバアンツァン／ダアイバアンチョオン

太古倉碼頭の北側に位置し、近代日本の航運業をになった大阪商船による大阪倉。1894〜95年の日清戦争で、日本は台湾を獲得し、その後、対岸の福建省を勢力下におこうとした。1900年、台湾総督府は命令航路として、台湾の高雄と広州をつなぐ定期船便の設置を決め、大阪商船がそれをになった。この大阪倉は1930〜34年に建設された旧式日本の倉庫で、3階建て、高さは12mになる。

洪徳巷／洪德巷 ★☆☆
🅗 hóng dé xiàng 🅖 hung⁴ dak¹ hong³
こうとくこう／ホンダアシィアン／ホオンダアッホオン

清代の1661年に官制碼頭と倉庫がつくられ、河南（海珠区）北西部の開発がはじまった。洪徳巷には広州が最高の繁栄を迎えた清末民初（20世紀初頭）の大屋や竹筒屋、嶺南独特の民居や騎楼など、昔ながらの街並みが残る。ここは近代広州にあって、民間の文学や伝統芸能が育まれた場所でもあり、現在は洪徳巷歴史文化街区を形成している。

基督教洪徳堂旧址／基督教洪徳堂旧址 ★☆☆

㉛ jī dū jiào hóng dé táng jiù zhǐ ㉕ gei¹ duk¹ gaau² hung⁴ dak¹ tong⁴ gau³ ji

きりすときょうとくどうきゅうし／ジィドゥウジィアオホォンダアタァンジィウチイ／ゲエイダアッガアウホォンダアットォンガァウジイ

　　基督教河南堂の名前でも知られるキリスト教の基督教洪徳旧址。1840年以後、広州にもキリスト教の宣教師が入ってきて、本格的な布教がはじまった。基督教洪徳堂旧址は、アメリカ人神父のバセグ牧師が河南洲頭咀あたりで説法したことをはじまりとし、清代の1890年に創建された。現在の教会は1935年、ここ洪徳五巷で建てられ、礼拝堂は400人以上を収容する。

南華西路／南华西路 ★★☆

㉛ nán huá xī lù ㉕ naam⁴ wa⁴ sai¹ lou³

なんかせいろ／ナァンフゥアシイルウ／ナアムワファサアイロォウ

　　河川の流れにそって珠江南岸を走る南華西路。清朝以来の海珠区でもっとも早くに開発されたエリアであり、「中華第一街」ともたたえられた。清朝乾隆帝時代の1745年創業の成珠酒家(成珠楼)は、広州でもっとも古い茶楼で、民国騎楼商業街という2〜3階建てのこの地方独特の建築が続く。1897年、広州で結婚した廖仲愷と何香凝が暮らした「双清楼」(夫婦は窓辺で月を楽しんだという)、世界で最も裕福な男と言われた潘正煒による「潘家大院」、1910年創建で税関や寮として使われた「波楼と波台」、イギリスの居住をしりぞけた「洲頭咀抗英紀念碑」などが位置する。

海幢寺／海幢寺 ★☆☆

㉛ hǎi chuáng sì ㉕ hói chong⁴ ji³

かいどうじ／ハァイチュゥアンスウ／ホオイチョンジイ

　　珠江南岸に立ち、華林寺、光孝寺、大仏寺とともに広州四大叢林(仏教寺院)のひとつの海幢寺。ここは広州に都とした南漢(917〜971年)時代、千秋寺があったところで、明代には郭氏花園がおかれていた。明末清初(17世紀)、光車、池月という

大元帥となった孫文は広州で何度も政府を樹立した

五羊仙庭や聖心大聖堂とともに広州円大廈の姿が見える

白鵝潭の向こうに河南（海珠区）が見える

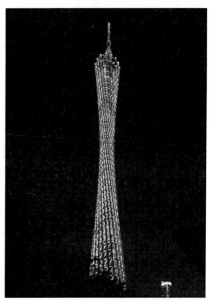

女性のくびれた腰がイメージされた広州塔も海珠区にある

ふたりの僧がこの地に小さな仏堂を建て、清代の1666年、大雄宝殿が完成した。海幢寺という名称は、「海幢比丘(原始仏教の僧侶)」からとられている。たび重なる被害をこうむり、1929年に海幢寺は海幢公園(河南公園)となり、文化大革命でも被害を受けて創建当初の伽藍は存在していない。その後、広州の仏教協会が公園内に海幢寺を再建し、現在、仏教寺院としての性格を再びもつようになった。

龍驤大街／龙骧大街★☆☆

⊕ lóng xiāng dà jiē ⊛ lung⁴ seung¹ daai³ gaai¹
りゅうじょうだいがい／ロォンシィアンダアジィエ／ロォンソォオンダアイガアイ

龍鳳街宝港大道に位置し、広州西関と同様に中華民国時代の古い建築がならぶ龍驤大街。1930年代に建てられた中国と西欧の様式が融合し、なかには赤レンガ、バルコニーなどをもつ2、3階建ての歴史的建造物が続く。「石鹸工場」を開いて財をなした周家とその親族の邸宅群も残っている。

鄧世昌紀念館／邓世昌纪念馆★☆☆

⊕ dèng shì chāng jì niàn guǎn ⊛ dang³ sai² cheung¹ géi nim³ gún
とうせいしょうきねんかん／ダァンシイチャアンジイニィエングゥアン／ダァンサァイチャアンゲエイニィムグウン

1834年創建の鄧氏宗祠のなかに位置し、日清戦争のときの活躍した民族的英雄の鄧世昌(1849~94年)を紹介する鄧世昌紀念館。茶商の家に生まれた鄧世昌は1894年、北洋艦隊の一員(軍人)となり、黄海の海戦で艦隊を指揮した丁汝昌に代わって北洋艦隊を指揮した。戦いのなかで鄧世昌は生命を落としたが、その英雄的なふるまいは「壮節公」とたたえられ、遺族に10万テールの銀があたえられた。こうして鄧氏宗祠が整備され、鄧世昌紀念館が開館した。

江南西商業区／江南西商業区★☆☆

北 jiāng nán xī shāng yè qū 広 gong¹ naam⁴ sai¹ seung¹ yip³ keui¹
こうなんにししょうぎょく／ジィアンナァンシイシャンイエチュウ／ゴオンアアムサアイソオンイッコイ

海珠区最大の商圏で、「河南の北京路」とも言われる江南西商業区。1950年代から江南西路界隈の開発ははじまり、1980年代にはあたりは商業街へと発展をとげた。江南西路のほか紫来街、紫金大街、紫丹大街、紫龍大街、工業大道、宝崗大道、江南大道といった通りが集まり、広百新一城、江南新地、摩登海購百貨中心などのショッピングモールが立つ。北京路、上下九路、天河とともに広州の商業四角地帯を構成する。

十香園紀念館／十香园纪念馆★☆☆

北 shí xiāng yuán jì niàn guǎn 広 sap¹ heung¹ yun⁴ géi nim³ gún
じゅっこうえんきねんかん／シイシィアンユウエンジイニィエングゥアン／サッホォエンユゥンゲエイニィムグゥン

清朝道光年間の1861年、隔山村に建てられた十香園を前身とする十香園紀念館。素馨、瑞香、夜合、夜来香、鷹爪、魚子蘭、白蘭、茉莉、珠蘭、含咲といった10種類の香り高い花が咲くことから名づけられた。清末の画家である居巣、居廉がここに住んで、絵を描いたり、画家の育成を行なったことから、十香園は嶺南画派の発祥地とされる。居巣、居廉の描いた絵や原稿、画材などを展示する。

嶺南画派紀念館／岭南画派纪念馆★☆☆

北 lǐng nán huà pài jì niàn guǎn 広 ling, naam⁴ wa³ paai² géi nim³ gún
れいなんがはきねんかん／リィンナァンフゥアパァイジイニィエングゥアン／リィンナアムワァパアアイゲエイニィムグゥン

河南の広州美術学院内に位置し、嶺南画派こと広州で活躍した画家にまつわる嶺南画派紀念館。1920年代の広州には、高剣父、陳樹人、高奇峰はじめ、居巣、居廉、関山月、黎雄才、趙少昂、楊善深といった画家が活躍していた。これらの画家が広州に集まったのは、1920年代、孫文を中心とした国民政府があり、広州が最高の繁栄を迎えていたことによる。

嶺南画派の絵画、資料が展示され、研究、教育拠点にもなっている。この嶺南画派紀念館は、1991年に開館し、白を基調としたヨーロッパ様式のたたずまいを見せる。

第一次全国労働大会旧址／第一次全国劳动大会旧址★☆☆
(北) dì yī cì quán guó láo dòng dà huì jiù zhǐ (広) dai³ yat¹ chi² chyun⁴ gwok² lou⁴ dung³ daai³ wui³ gau³ jí
だいいちじぜんこくろうどうたいかいきゅうし／ディイツゥチュアングゥオラァオドォンダアフゥイジゥチイ／ダァイヤッチィチュウングゥオッロゥオゥドォンダアイウイガオジイ

　1922年5月1日から6日にかけて行なわれた中国共産党による第一次全国労働大会旧址(第1回全国労働総会)。当時、ここには労働者の集まる広東機械総礼堂があり、この大会には全国12の大都市から173名の代表者が集まって、ストライキの支援、8時間労働制などを採択した。西欧式、3階の建物は幅25m、奥行16mで、1920年代初頭にとり壊されたが、その後、再建された。

濱江水上居民民俗博物館／滨江水上居民民俗博物馆★☆☆
(北) bīn jiāng shuǐ shàng jū mín mín sú bó wù guǎn (広) ban¹ gong¹ séui seung³ geui¹ man⁴ man⁴ juk³ bok² mat³ gún
ひんこうすいじょうきょみんみんぞくはくぶつかん／ビィンジィアンシュイシャンジゥミィンミィンシュウボオウグゥアン／バアンゴオンソオイソォンゴオイマンマンジュッボッマッグゥウン

　1949年の新中国成立以前、珠江一帯に船が浮かび、広州だけで2万2000戸、10万人の水上居民が暮らしていたという。彼らは、陸地に土地をもたず、船を住居とする船上生活者で、現在は濱江はじめ珠江河岸部で陸地生活を送っている。濱江水上居民民俗博物館には、かつての水上生活者の暮らしぶりの紹介とともに、漁をするための小舟やわらじ、生活用品が展示されている。この水上居民は、広東省、福建省から東南アジア、西日本まで広く見られ、彼らの歌う咸水歌は広州の風物詩でもあった。濱江街の住民の多くが、水上居民を先祖にもつという。

孫中山大元帥府紀念館／孙中山大元帅府纪念馆★★☆

🈯 sūn zhōng shān dà yuán shuài fǔ jì niàn guǎn 🈯 syun¹ jung¹ saan¹ daai³ yun⁴ seui² fú géi nim³ gún

そんちゅうざんだいげんすいふきねんかん／スゥンチョンシャンダアユゥエンシュゥアイフウジイニィエングゥアン／シュンジョオンサアンダアイユゥンソォイフウゲエイニィムグゥン

　辛亥革命を牽引した孫文(1866〜1925年)ゆかりの孫中山大元帥府紀念館(広州孫中山大元帥府旧址)。孫文は、広州で3度政権を築いていて、そのうち1917年と1923年の2度、河南のこの地に拠点をおいた。もともと清代の1906年、外国企業から機械や設備を購入して建設された広東士敏土廠(セメント工場)を前身とする。1917年当初、孫文らは黄埔に駐屯していたが、広州市街から遠く不便なため、別の場所を探していた。河北には孫文に敵対する多くの軍閥が居を構えていたため、安全上の理由から河南のこの地が選ばれた。西欧式の3階建てからなる建物で、2001年に改修されたのち孫中山大元帥府紀念館として開館した。

廖仲愷何香凝紀念館／廖仲恺何香凝纪念馆★☆☆

🈯 liào zhòng kǎi hé xiāng níng jì niàn guǎn 🈯 liu³ jung³ hói ho⁴ heung¹ ying⁴ géi nim³ gún

りょうちゅうがいかこうぎょうきねんかん／リィアオチョンカァイハアシィアンニィンジイニィエングゥアン／リィウジョオンホオイホォヘェンインゲエイニィムグゥン

　孫文とともに辛亥革命を指導した廖仲愷(1876〜1925年)とその妻の何香凝に関する紀念館。1897年、廖仲愷と何香凝は広州で結婚して、河南の「双清楼」で暮らした。廖仲愷は蒋介石らの右派に暗殺されたあとも、夫人の何香凝は新中国で重要なポストにつき、ふたりの息子の廖承志もまた政治家として活躍した。廖仲愷何香凝紀念館には清末から中華民国、新中国誕生までの展示が見られ、廖仲愷、何香凝、廖承志ゆかりの調度品や肖像画などを収蔵する。1982年に開館し、廖仲愷農業技術学院内に位置する。

広東中山大学／广东中山大学 ★☆☆

guǎng dōng zhōng shān dà xué ⑮ gwóng dung¹ jung¹ saan¹ daai³ hok³
かんとんちゅうざんだいがく／グゥアンドォンチョンシャンダアシュエ／グゥオンドォンジョオンサアンダアイホッ

　孫文(1866～1925年)によって整備された大学を前身とする広東中山大学。清代の1888年、現在の六二三路にアメリカ人がつくった格致書院(嶺南大学)をはじまりとし、1904年に河南の康楽の地に遷ってきた(清末、官僚や実業家が苦労して、大学のキャンパスのため山地を購入した)。1924年、孫文は近代的な高等教育を実施するために、いくつかの大学を統合して、国立広東大学を設立、1926年に国立孫文大学と改称された。珠江河岸から中軸線が伸び、緑の木々、赤の外壁をもつ校舎がならんでいる。1933年に建てられた重さ1トン、高さ2.5mの孫中山銅像も見られる。

純陽観／纯阳观 ★☆☆

北 chún yáng guān ⑮ seun⁴ yeung⁴ gun¹
じゅんようかん／チュンヤァングゥアン／スォンユェングゥン

　海珠区五鳳村漱珠崗に展開する壮大な道教寺院の純陽観。清代の道士、李青来(1748～1833年)によって創建され、1826年に完成した。全真龍門派の道観であることから、純陽帝君呂洞賓をまつり、道観の名前もここに由来する。壮大な建物群が展開し、李青来が天文を観察した場所には朝斗台が残る。あたりはのどかな景色が広がっていて、清代、文人たちが集まったという。

広州円大廈／广州圆大厦 ★☆☆

北 guǎng zhōu yuán dà shà ⑮ gwóng jau¹ yun⁴ daai³ ha³
こうしゅうえんたいか／グゥアンチョウユゥエンダアシャア／グゥオンジョウユンダアイハア

　広州南郊外にそびえる高さ138m、33階建ての円形をした広州円大廈。銅銭(お金)をイメージした奇抜な設計で、外円直径144.6m、内円47mになる。この広州円大廈が珠江の水面に映る姿は、末広がりの「8」になるという風水上の設計もなされている。

芳村城市案内

**沙面の対岸のこの地は
芳村や花地という名前で知られた
白鵝潭をのぞむ岸辺**

花地／花地 ★☆☆
🇨🇳 huā dì 🇭🇰 fa¹ dei³
かち／フゥアディ／ファアデェイ

珠江南岸の花地は、花城と呼ばれた広州のなかでも有名な8つの庭園があり、花が咲き誇っていたことに由来する。古くは南漢(917〜971年)時代の宝光寺があった場所で、清(1616〜1912年)代、両広総督の阮元が花や木を楽しんだり、宴会をしたり、客を招いたりして楽しんだという。留芳園、酔観園、紉香園、群芳園、新長春園、余香園、翠林園、評紅園が八大名園で、芳村花地は「嶺南第一花郷」と言われる。

黄大仙祠／黄大仙祠 ★☆☆
🇨🇳 huáng dà xiān cí 🇭🇰 wong⁴ daai³ sin¹ chi⁴
こうだいせんし／フゥアンダアシィエンツウ／ウォンダアイシィンチィ

香港最高の道教寺院である黄大仙祠の起源となった芳村花地大凼尾の黄大仙祠(黄大仙＝ウォンタイシンは、広州から香港へと遷った)。この黄大仙祠は、1861年、広州近くの西樵山の薬商の家に生まれた梁仁庵が創始し、道教、仏教、儒教すべての要素をとり入れた黄大仙赤松子がまつられている。梁仁庵は中国税関の事務官となったが、1894年、この地方を襲ったペストの流行を機に、1897年、シャーマニズム的な宗教(嗇色園)をはじめた。「人びとのあらゆる想いに応える」と

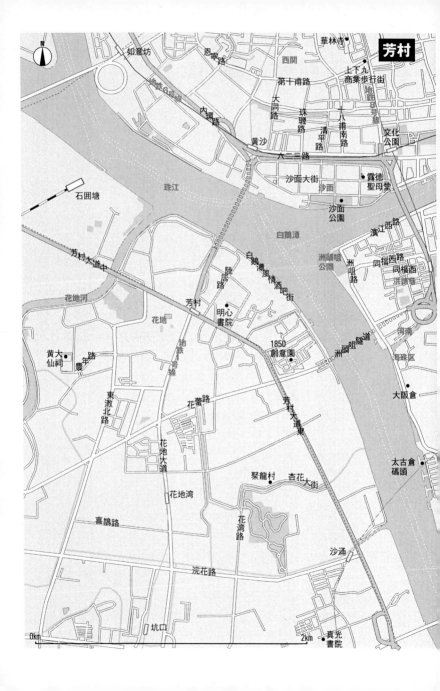

いう黄大仙(神仙)のお告げを受けた梁仁庵は、人びとに薬を配って救済した。当初、広州番禺大嶺村普済壇にあり、1899年、ここ芳村花地の黄大仙祠が完成したが、清末の混乱のなかで1910年に破壊をこうむった。梁仁庵は1915年に香港へ渡り、灣仔の住宅の一室で黄大仙をまつって宗教活動を続け、1921年に九龍で黄大仙祠の運営母体である嗇色園(慈善団体)が結成された。一方、広州の黄大仙祠は日本侵略後の1939年には宗教活動がとどこおって、時間はたったのちに再建され、黄大仙主殿、観音殿、呂祖殿、関帝殿、斗姥殿、財神殿、功徳堂などからなり、香港のものと同じ美しい黄色の瑠璃瓦を載せている。

明心書院／明心书院★☆☆
㉜ míng xīn shū yuàn ㉕ ming⁴ sam¹ syu¹ yún
みんしんしょいん／ミンシンシュウユウエン／ミンサアムシュウユウン

アメリカのキリスト教会の女性宣教師マーシーによって、1912年に設立された明心書院。ここ芳村明心里(明心路)の明心書院では、目の不自由な人たちに学ぶ機会をあたえ、手工芸などの技能を身につけさせた。赤レンガのたたずまいを見せる。

★☆☆
花地／花地 フゥアディ／ファアデイ
黄大仙祠／黄大仙祠 フゥアンダアシィエンツウ／ウォンダアイシィンチィ
明心書院／明心书院 ミンシンシュウユウエン／ミンサアムシュウユウン
1850創意園／1850创意园 イイバアウウリィンチュウアンイイユゥエン／ヤッバアッングリィンチョオンイイユン
白鹅潭風情酒吧街／白鹅潭风情酒吧街 バァイアアタァンフェンチィンジィウバァジィエ／バアッングォタアムフォンチィンザァオバァガアイ
聚龍村／聚龙村 ジュウロォンツゥン／ジョオイロォンチュウン
海珠区／海珠区 ハァイチュウチュウ／ホオイジョウコォイ
太古倉碼頭／太古仓码头 タァイグゥツァンマアトォウ／タアイグウチョオンマアトォウ
大阪倉／大阪仓 ダアバァンツァン／ダアイバアンチョオン
洪徳巷／洪徳巷 ホオンダアシィアン／ホオンダアッホオン

1850創意園／1850创意园 ★☆☆

㋫ yī bā wǔ líng chuàng yì yuán ㋓ yat¹ baat² ng, líng⁴ chong² yi² yun⁴

いちはちごおれいそういえん／イイバアウウリィンチュゥアンイイユゥエン／ヤッバアッングリィンチョオンイイユン

　清末、1850年創建の近代産業遺跡を利用したクリエイティブ・パークの1850創意園。ギャラリーやカフェなどが集まり、アートやデザインの発信拠点となっている。近代、ここ芳村に広東省水利、水力発電所の古い工場（化学工場）があった。

白鵝潭風情酒吧街／白鹅潭风情酒吧街 ★☆☆

㋫ bái é tán fēng qing jiǔ bā jiē ㋓ baak³ ngo⁴ taam⁴ fung¹ ching³ jáu ba³ gaai¹

はくがたんふぜいしゅばがい／バァイアアタァンフェンチンジィウバアジィエ／バアッングォタアムフォンチィンザァオバッガアイ

　沙面南側、珠江が分流する（三江の交わる）地点を白鵝潭と呼ぶ。その南岸に位置する白鵝潭風情酒吧街には30軒を超すバーとレストランが集まり、2～3階建ての欧風建築がならぶ。また近くには1960年代のソビエト式工場を利用した信義・国際会館が残り、近くには樹齢100年のガジュマルの木が立つ。

聚龍村／聚龙村 ★☆☆

㋫ jù lóng cūn ㋓ jeui³ lung⁴ chyun¹

じゅりゅうそん／ジュウロォンツゥン／ジョオイロォンチュゥン

　清代古民居のなかでもっとも美しい姿を見せるという、広東省台山の鄺一族が暮らす聚龍村。聚龍村とは龍が集まる村を意味し、石のレンガによる外壁を周囲にめぐらせるこの集合住宅では、建物と細い路地が続く。広州の新聞の先駆者的存在で、香港やマカオで黄金巨子とたたえられた鄺衡石を輩出したことでも知られる。

Pan Yu

番禺城市案内

珠江河口部に続く広州南部
地下鉄網がこの番禺区まで伸び
広州市街との一体感が高まっている

番禺区／番禺区 ★☆☆

㊗ pān yú qū ㊌ faan¹ yu⁴ keui¹
ばんぐうく／パンユゥチュウ／ファアンユゥコイ

　番禺という地名は、紀元前3世紀に始皇帝が広州においた番禺県に由来する(広州一帯が番禺と呼ばれていた)。広州の南郊外にあたり、南海、順徳、中山市に隣接するこの地は、美しい自然、珠江デルタの河川網をもち、海抜50m以下の沖積平野が続いている。北西から南東に向かって土地は傾斜していて、沙田という名称があるように、番禺区の大部分は珠江の運ぶ土砂によって陸地化した(唐代は毎年30m、宋代は35m、明清代は38mというように、三角州が南にどんどん伸びていった)。そしてももともとこの近郊の野菜、果物、幼魚などの集散地であった市橋鎮が、番禺区の政治、経済、文化の中心地となっている。もともと港のあった珠江沿いの蓮花山港と、南海にのぞむ南沙に港があったが、1992年に南沙は番禺から独立した。現在の番禺区は、広州南郊外の新興開発区という性格をもち、香港とのあいだを往来する高速鉄道の広州南駅を抱えるほか、珠江による水路を通じて東莞、深圳へ続く地の利をもつ。番禺区は、珠江デルタと広東、香港、マカオの粤港澳大湾区の中心に位置する。

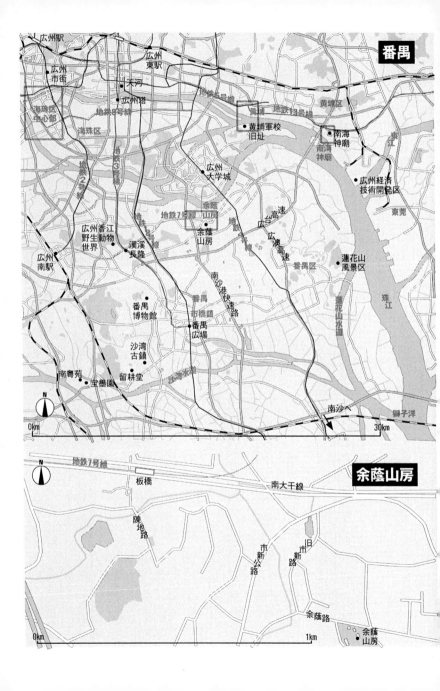

沙湾古鎮／沙湾古镇★★☆

㊗ shā wān gǔ zhèn ㊗ sa[1] waan[1] gú jan[2]

さわんこちん／シャアワァングウチェン／サアワアングウジャアン

沙湾という地名が「沙の湾」を意味するように、はるか昔、ここは南海に続く海湾だったが、南宋（1127～1279年）時代に陸地化した（北沙湾は陸になり、南沙湾は浅い海だった）。沙湾古鎮は、1233年、この地にたどり着いた何徳明によって開かれ、以後、元、明、清と、時代を通じて集落は持続した。そうしたところから豊かな嶺南文化が沙湾古鎮で育まれ、伝統芸能が受け継がれ、広東音楽（沙湾粤韵）の発祥の地としても知られる。現在、沙湾古鎮には嶺南の古い街並みが残り、武帝古廟も位置する。広東三大宗祠のひとつにあげられる霊廟の留耕堂は、沙湾古鎮を開いた何氏をまつる。

留耕堂／留耕堂★★☆

㊗ liú gēng táng ㊗ lau[4] gaang[1] tong[4]

りゅうこうどう／リィウガァンタァン／ラァウガアントォン

南宋（1127～1279年）時代から番禺沙湾に暮らした、名門一族の何氏の宗祠にあたる留耕堂。広東省では共通の祖先（何

★★★

南海神廟／南海神庙 ナァンハァイシェンミャオ／ナアムホオイサァンミィウ

黄埔軍校旧址／黄埔军校旧址 フゥアンブゥジュウンシィアオジィウチイ／ウォンボォウグゥアンハアウガオジイ

★★☆

沙湾古鎮／沙湾古镇 シャアワァングウチェン／サアワアングウジャアン

留耕堂／留耕堂 リィウガァンタァン／ラァウガアントォン

宝墨園／宝墨园 バァオモオユゥエン／ボオウマッユン

余蔭山房／余荫山房 ユゥインシャンファン／ユゥヤアムサアンフォン

蓮花山風景区／莲花山风景区 リィアンフゥアシャンフェンジィンチュウ／リンファアサアンフォンギインコォイ

★☆☆

番禺区／番禺区 パンユゥチュウ／ファアンユゥコォイ

南粤苑／南粤苑 ナァンユゥエユゥエン／ナアムユッユウン

広州香江野生動物世界／广州香江野生动物世界 グゥアンチョウシィアンジィアンイイシェンドォンウウシイジエ／グゥオンジョウホォエンゴオンイェサアンドォンマッサァイガアイ

番禺博物館／番禺博物馆 パァンユウボオウウグゥアン／ファアンユゥボッマッグウン

海珠区／海珠区 ハァイチュウチュウ／ホオイジュウコォイ

広州大学城／广州大学城 グゥアンチョウダアシュゥエチャアン／グゥオンジョウダアイホッシィン

徳明）を紐帯とする父系の宗族が発達していて、留耕堂は南宋の1275年創建とも、元代の1335年創建ともいう。現在の姿となったのは清代の1721年のことで、三路四進の四合院様式建築の敷地は幅34.1m、奥行82.08mになる。大池塘、大天街、正門、牌坊、釣魚台と続き、祖先をまつる祠堂を中心とした嶺南建築が展開する。112本もの石や木の柱が林立するほか、木彫や石彫、豊かな書や連句で彩られ、両側の外壁は珠江デルタの漁村でよく見られるカキ殻の断熱壁となっている。広東省でも最大規模の祠廟建築であり、広東三大宗祠に数えられる。

宝墨園／宝墨园★★☆
北 bǎo mò yuán 広 bóu mak³ yun⁴
ほうぼくえん／バァオモオユゥエン／ボオウマッユン

　清朝の官僚文化、珠江デルタの水郷風景、嶺南の古建築などを今に伝える宝墨園。清代嘉慶年間（1796〜1820年）、番禺の紫坭村で、北宋の名臣である包拯を記念して建てられた寺院をはじまりとする。清末民初（20世紀初頭）、官吏の暮らす包相府がおかれていたが、1950年代に破壊されて1995年に重建された。回廊がめぐらされ、渓流や湖にかかる30以上の石橋、水中の鯉が見えるなど、嶺南園林の白眉とも言える景色が広がる。

南粤苑／南粤苑★☆☆
北 nán yuè yuàn 広 naam⁴ yut³ yún
なんえつえん／ナァンユゥエユエン／ナアムユッユウン

　宝墨園に隣接して新たにつくられた南粤苑（「粤」は広東を意味する）。嶺南の庭園や建築で彩られ、庭園内は山水がめぐり、絵画のような美しい光景が広がる。2009年に開園し、大型浮き彫り壁画の『清明上河図』も見られる。

番禺にある広州南駅、香港とも結ばれている

見事な門楼が迎えてくれる

入口上部に建物を守護する彫刻が彫られている

余蔭山房／余荫山房★★☆

㉛ yú yìn shān fáng ㊏ yu⁴ yam¹ saan¹ fong⁴
よいんさんぼう／ユウインシャンファン／ユユヤアムサアンフォン

　順徳の清暉園、仏山の梁園、東莞の可園とともに広東省の四大名園のひとつにあげられる番禺の余蔭山房。清朝同治年間の1871年に建てられた官吏の鄔彬の私家園林で、嶺南の宗祠や書院文化を代表する存在でもある。嶺南の伝統的な造園技術が見られ、園内は湖を中心に楼閣や亭などが配置されている。柳がつくる影や香り、光の具合などが美しく、「余蔭留光」とたたえられてきた。この余蔭山房を築いた鄔彬一族の善言鄔公祠を中心に、深柳堂、臨池別館、臥瓢廬、玲瓏水榭の四大建築をはじめ、浣紅跨緑廊橋、点題名聯、夾牆翠竹、瑠璃などが点在する。2006年に拡張して文昌苑景区が整備され、八角形のプランをもつ文昌飛閣が見える。広州市街から南に17km離れた、番禺区南村鎮北大街に位置する。

広州香江野生動物世界／广州香江野生动物世界★☆☆

㉛ guǎng zhōu xiāng jiāng yě shēng dòng wù shì jiè ㊏ gwóng jau¹ heung¹ gong¹ ye, saang³ dung³ mat³ sai² gaai²
こうしゅうこうこうやせいどうぶつせかい／グゥアンチョウシィアンジィアンイイシェンドォンウウシイジエ／グゥオンジョウホォエンゴオンイェサアンドォンマッサァイガアイ

　パンダやコアラ、ホワイトタイガー、ホッキョクグマなどの希少動物はじめ、500種類を超す動物を飼育する広州香江野生動物世界。野生動物のテーマパークで、長隆歓楽世界、長隆国際大馬戯、長隆野生動物世界、長隆水上楽園、広州鰐魚公園などから構成される。1997年に対外開放され、動植物の保護、研究が行なわれている。

番禺博物館／番禺博物馆★☆☆

㉛ pān yú bó wù guǎn ㊏ faan¹ yu⁴ bok² mat³ gún
ばんぐうはくぶつかん／パァンユウボオウウグゥアン／ファアンユウボッマッグウン

　番禺中心の市橋鎮から北西に4kmほど離れた沙頭街銀平

路亀崗東麓に位置する番禺博物館。大楼、文博園、東漢古墓群景区からなり、番禺地方の歴史や民俗、生物、彫刻などをあつかう。建築は船がイメージされていて、1997年に開館した。

蓮花山風景区／莲花山风景区★★☆
北 lián huā shān fēng jǐng qū 広 lin⁴ fa¹ saan¹ fung¹ gíng keui¹
れんかさんふうけいく／リィアンフゥアシャンフェンジィンチュウ／リンファアサアンフォンギインコォイ

広州南郊外の番禺区を流れる珠江河口ほとりに位置する蓮花山風景区。蓮花山の歴史と文化は広州を代表するもので、蓮花山古代採石場は漢代（紀元前202〜220年）から知られ、ここでさまざまな種類の石が採掘されていた。この海抜108mの蓮花山上部に残る採石場遺跡はじめ、明代の1612年建立で八角形、高さ約50mの蓮花塔、清代の1664年創建の蓮花城、1994年に完成した巨大な金色の観音像などが点在し、蓮花山風景区を形成している。

広東省の四大名園のひとつにあげられる余蔭山房

Nan Sha

南沙城市案内

**広州最南端、南海にのぞむ珠江口の南沙
ここは香港やマカオから遡上してきた船が
まずたどり着く広州の玄関口でもある**

南沙区／南沙区★★☆

㉜ nán shā qū ㉝ naam⁴ sa¹ keui¹
なんさく／ナンシャアチュウ／ナアムサアコォイ

　珠江がちょうど南海に注ぐ地点にあり、広州市の南端部に位置する南沙区。珠江による沖積平原が広がるため、沙田区とも俗称される。唐代、このあたりに錨をおろす海湾（南湾）があり、宋（960〜1279年）代に沙州が形成され、沙埠といった。元明時代は沙埔と呼ばれ、明代には鹿頚村や塘坑村、蓮渓村などの漁村がぽつりぽつりと点在するようになっていた（この漁民たちに信仰されたのが海の守り神媽祖で、ほとんどの村には天后廟があった）。南沙という名称はあたりでもっとも高い山の黄山魯（標高295.3m）の南側に巨大な沙州ができたことにちなみ、清代にはこの名前が定着していた。ここで珠江は大きく川幅を変えるため、対岸の虎門（東莞）とともに南沙（広州）は、砲台のおかれる広州防衛拠点でもあった。21世紀に入ってから外資系企業の進出も目立ち、バナナ畑が広がるのどかな南国の雰囲気をただよわせるなか、広東、香港、マカオを結ぶ広州の副都心という性格をもっている。

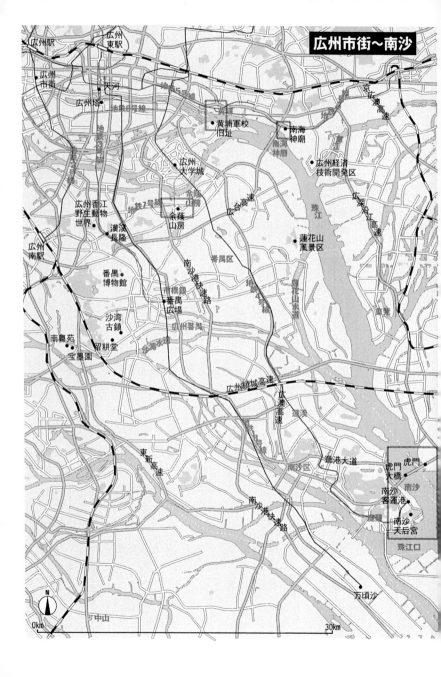

広州駅
広州
東駅
広州
市街
天河
広州塔
地鉄6号線
地鉄3号線
黄埔
黄埔軍校
旧址
京広深港高速
広州
大学城
金紡
大橋
広州香江
野生動物
世界
漢渓
長隆
余蔭
山房
広台
高速
広台高速
南海
神廟
南海
神廟
広州経済
技術開発区
広深沿江高速
珠江
蓮花山
風景区
蓮花山水道
番禺区
広州
南駅
番禺
博物館
地鉄2号線
南沙港快速路
番橋鎮
番禺
広場
広州番禺
沙湾
古鎮
留耕堂
南粤苑
宝墨園
地鉄4号線
広州繞城高速
広珠高速
潭洲
南沙区
東新高速
進港大道
虎門
虎門
大橋
南沙
南沙
客運港
南沙
天后宮
珠江口
南沙港快速路
南沙港快速路
蒲洲
万頃沙
N
0km
中山
30km

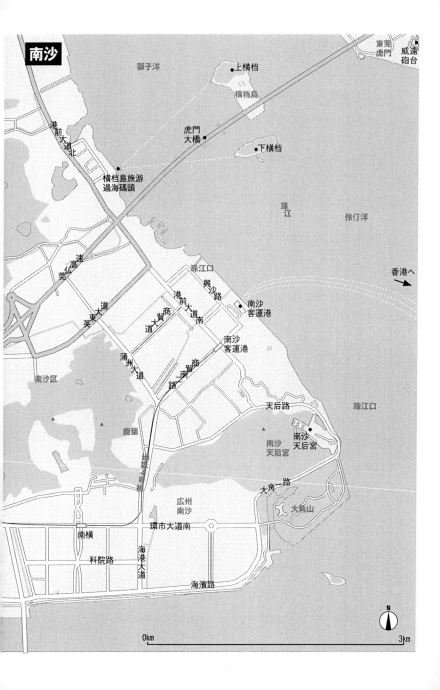

南沙

獅子洋

上横档

横档島

虎門
大橋

下横档

港前大道北

横档島旅游
過海碼頭

珠江

伶仃洋

高速
仏莞

珠江口

興沙路

香港へ

南沙
客運港

大道東英

港前大道南

商貿大道

南沙
客運港

蒲州大道

商
一
路

天后路

珠江口

広州南沙鉄線

廛頬

南沙
天后宮

南沙
天后宮

南沙区

広州
南沙

大角一路

大角山

南横

環市大道南

科院路

海港大道

海濱路

N

0km   3km

珠江口／珠江口★★☆

🔊 zhū jiāng kǒu 🔊 jyu¹ gong¹ háu

しゅこうぐち／チュウジィアンコウ／ジュウゴオンハアウ

　華南最大の河川である珠江は、西江、北江、東江という支流をあわせて総称される。広州から先の珠江口(河口部)あたりでは、無数の水路(珠江の支流)が走り、南海へいたる。この珠江本流はラッパ型の河口湾をしていて、河口部東岸に香港、深圳、河口部西岸にマカオがあって、広州を頂点としたトライアングル(三角)を描く。いわゆる珠江口は、この香港とマカオあたりまでを言うが、両者のあいだに全長55kmの港珠澳大橋がかかっている(広州付近の珠江は宋代、「海」と呼ばれていたが、南沙あたりでは文字通り海のようなたたずまいをしている)。そこから、北上すると内伶仃島(深圳赤湾近く)が浮かび、そこが領海と公海の接点となっている。内伶仃島から、珠江の川幅がせまくなっていき、一気にせばまる東莞虎門、広州南沙までを「伶仃洋」と呼ぶ。この伶仃洋の北側、虎門と南沙を結ぶのが虎門大橋で、そこから先の東江口までが「獅子洋」となっている。東江口には広州外港(海港)となってきた黄埔

★★★
南沙天后宮／南沙天后宮 ナァンシャアティエンホォウゴォン／ナアムサアティンホォウゴォン
南海神廟／南海神庙 ナンハイシェンミャオ／ナアムホオイサンミィウ
黄埔軍校旧址／黄埔军校旧址 フゥアンプウジュウンシィアオジゥイチイ／ウォンボォウグゥアンハアウガオジイ

★★☆
南沙区／南沙区 ナンシャアチュウ／ナアムサアコイ
珠江口／珠江口 チュウジィアンコウ／ジュウゴオンハアウ
沙湾古鎮／沙湾古镇 シャアワァングウチェン／サアワアングウジャアン
留耕堂／留耕堂 リィウガァンタァン／ラウガアントォン
宝墨園／宝墨园 パァオモオユゥエン／ボオウマッユン
余蔭山房／余荫山房 ユゥインシャンファン／ユゥヤアムサアンフォン
蓮花山風景区／莲花山风景区 リィアンフゥアシャンフェンジィンチュウ／リンファアサアンフォンギインコイ

★☆☆
番禺区／番禺区 パンユゥチュウ／ファアンユゥコイ
南粤苑／南粤苑 ナァンユゥエユゥエン／ナアムユッユゥン
広州香江野生動物世界／广州香江生动物世界 グゥアンチョウシィアンジィアンイイシェンドゥンウウシイジエ／グゥオンジョウホォエンゴオンイェサアンドォンマッサイガアイ
番禺博物館／番禺博物馆 パァンユウボオウグゥアン／ファアンユゥボッマッグゥン
広州大学城／广州大学城 グゥアンチョウダアシュウエチャアン／グゥオンジョウダアイホッシィン

南沙天后宮の伽藍は山の地形にあわせて展開する

南沙あたりの伶仃洋では珠江はほとんど海のよう

巨大な媽祖像は南海のほうを見ている

対岸の東莞虎門へ虎門大橋がかかる

があり、南海神廟が立っている。そこから広州までは珠江の川底も浅くなるため、黄埔で小型船に乗り換えて、広州に向かった。広州から黄埔までが約25km、黄埔から南沙(虎門)までが約40km、南沙(虎門)から珠江口の内伶仃島までが約45kmで、そのあいだに珠江の川幅はどんどん広くなり、やがて南海にいたる。

南沙天后宮／南沙天后宮★★★

🄟 nán shā tiān hòu gōng 🄗 naam⁴ sa¹ tin¹ hau³ gung¹
なんさてんごうきゅう／ナンシャアティエンホウゴォン／ナアムサアティンホォウゴォン

珠江河口部、大角山の東南麓の地形を利用して展開し、南海にのぞむように立つ南沙天后宮。天后とは海の守り神のことで、珠江を行き交う船の航行安全をつかさどる(この天后は宋代の福建省に実在した娘で、やがて船乗りのあいだで媽祖として信仰され、時代がくだると「天の后」にまで昇格した)。明代、南沙の塘坑村に広州でもっとも古い小さな天后廟があり、地元の漁民たちから信仰を受けていた。清代、現在の南沙天后宮のあるあたりは広州の防御拠点で、大角山には砲台がもうけられていたが、アヘン戦争時に破壊をこうむった。こうしたなか改革開放の進む1994年、南沙の開発にあわせて香港の実業家が南沙天后宮建設のために資金を提供し、1996年に完成した。この南沙天后宮は福建省の媽祖廟(媽祖廟の祖廟)を参考にして建てられ、大角山の東南麓に中軸線上に伽藍が配置され、建物の屋根は黄色の瑠璃瓦でふかれている。前面に立つ天后像は365個の花崗岩がもちいられ、高さは14.5mになる(365という数字は1年中安全に航海ができるようにという意味)。本堂の奥にある「寝殿」には、天后座像とともに、器具や調度品が配置されている。また南沙天后宮を麓から見て、バランスがとれるように高さ45m、8層の南嶺塔が配置されているほか、アヘン戦争の激戦地となった大角山砲台も残っている。この南沙天后宮が向かう(珠江)先の海は、伶仃洋と呼び、ここは香港、マカオへ続く紐帯地点となっている。

Hua Dou
花都城市案内

広州北郊外のかつての山間の農村地帯
現在は広州の副都心として開発が進む
太平天国の乱の洪秀全の生家も残る

花都区／花都区★★☆
㊅ huā dōu qū ㊂ fa¹ dou¹ keui¹
かとく／フゥアドォウチュウ／ファアドォウコイ

広州の北郊外に位置し、珠江デルタの最北端にあたる花都区。漢代は番禺、隋代は南海県の領域の一部で、花都区は長らく広州周縁の田園地帯に過ぎなかった。清代の1686年に花県がおかれ、その県衙（行政府や学宮）は現在の花都区の中心から北東に15km離れた花山鎮花城村にあった。この花都は清朝末期に太平天国の乱（1851〜64年）を起こした洪秀全の故郷として知られ、客家の暮らす山間の農村地帯から南中国一帯に太平天国が広がった。1949年に新中国が誕生すると、それまで農業を中心とする貧しい社会だった1958年に花県新華人民公社が成果をあげ、1995年には広東省の「郷鎮の星」とたたえられるまでになった。こうして現在の花都の中心である新華鎮がこの地方（花都区）の政治、文化、経済の核となった。現在の花都（新華鎮）は1990年代に整備され、花城路、公園前路、商業大道、新中路といった街区、花都広場、新華百貨、花都商業歩行街などは改革開放とともに現れたと言える。こうした花都の繁栄は、広州北駅と市街から遷ってきた白雲空港の存在で決定的になり、世界的な自動車メーカーの進出も続いた。横横潭街には牌坊が立ち、市街部には新華市場、秀全公園といったこの地方の歴史を伝える名前

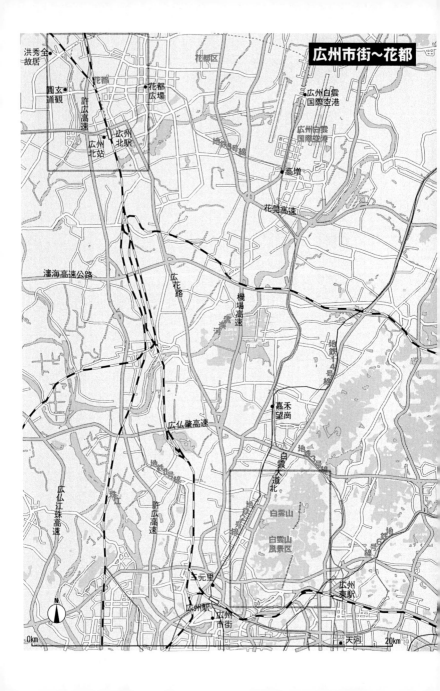

広州市街～花都

洪秀全
故居

闇玄
道観

花都

許広高速

花都
広場

広州白雲
国際空港

広州白雲
国際空港

広州
北站

広州
北駅

博愛路号線

高増

花莞高速

瀟海高速公路

広花路

機場高速

地鉄十四号線

嘉禾
望崗

広仏肇高速

地鉄号線

白雲大道北

広
仏
江
珠
高
速

許
広
高
速

白雲山

白雲山
風景区

三元里

広州駅

広州東駅

広州
市街

N

0km

天河

20km

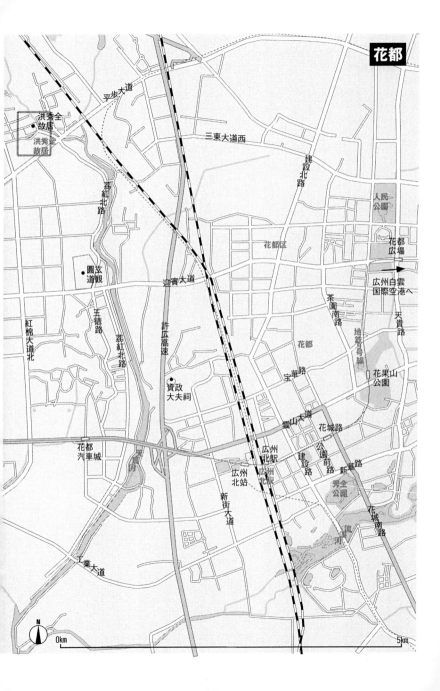

洪秀全故居

洪秀全故居紀念館 ●

洪秀全銅像 ●

門楼

洪秀全故居

書房閣 ●

富楼布

洪秀全故居

洪氏宗祠 ●

養魚池

0m ———————————————————————————— 200m

N

が残るほか、郊外に行けば清代以来の農村や建築が見られ、広東語と客家語がともに使われていることも特徴とする。

洪秀全故居／洪秀全故居★★★

北 hóng xiù quàn gù jù 南 hung⁴ sau² chyun⁴ gu² geui¹
こうしゅうぜんこきょ／ホンシィウチュウエングウジュウ／ホォンサァウチュウングウゴオイ

清朝末期、南京を中心に南中国に太平天国を樹立した洪秀全(1814～64年)の故居。洪秀全は貧しい客家の出身で、一族は清代、広東省嘉応州石坑村、花都区花山鎮からここ官禄布へ遷ってきた。1814年、当時の広州郊外であった官禄布に生まれた洪秀全は、青年期まで農業を営みながら、この地で学び、また教え、過ごしていた。そして1828～43年のあいだに広州で官吏登用のための科挙を4度、受験したが、ことごとく失敗し、出世の道をたたれたこともあって、皇帝を中心とする儒教体制に批判的になったという。そして、その科挙受験のときにキリスト教プロテスタントの宣教師からもらった『観世良源』の影響を受けて、「天下を一家として、皆が太平に恵まれる」という太平天国の思想をかたちづくっていった(『観世良源』を書いた梁発は、1834年、広州での科挙受験者にこの書を配布していたところ官憲にとらえられた)。1851年、洪秀全は花県から内陸に入った広西の金田村で武装蜂起し、華中、華南一帯に勢力を広げて、南京を都とする太平天国(1851～64年)を樹立し、清朝をおびやかした。一方、洪秀全故居は金田

起義後の1854年に清軍によって焼き討ちにあった。やがて1864年、洪秀全は病死し、太平天国の乱も西洋の近代兵器をもつ清朝の前に鎮圧されたが、現在では皇帝支配に抵抗した英雄的運動として評価されている。

洪秀全故居の構成

　洪秀全故居は1854年に清朝によって村がとりつぶされたあと、1961年に再建され、現在は洪秀全故居紀念館と隣接する官禄布の洪秀全故居から構成される。洪秀全や太平天国に関する展示の見られる洪秀全故居紀念館の入口には、白玉を使った洪秀全の銅像が立つ。またそのすぐそばには「官禄布」の額とともに洪秀全が暮らしていたという村(官禄布)が広がっている。18歳になった洪秀全が塾教師をしていた「書房閣」、洪一族の祖廟や其太祖洪英綸をまつる「洪氏宗祠」、洪秀全故居の「資料室」、洪秀全の手植えの「龍眼樹」、水をたたえる「養魚池」が点在する。広東人とは異なる、北方から南遷してきた客家の民居の様子が再現されている(洪秀全が出自とする客家は、あとからやってきたため、耕すための土地の少ない山間に暮らした)。

圓玄道観／圆玄道观★★☆
⑪ yuán xuán dào guàn　⑮ yun⁴ yun⁴ dou³ gun¹
えんげんどうかん／ユウエンシュウエンダァオグゥアン／ユンユンドォウグウン

　黄金の瑠璃瓦でふかれた、壮大なたたずまいを見せる道教寺院の圓玄道観。改革開放以後の1994年、広東省道教協会が設立され、その拠点となる道教寺院の建設が模索された。広州とゆかりのある香港道教会の会長趙老は花都区の風水地を選び、1998年、香港圓玄学院の出資で、この圓玄道観は建設された(20世紀末以前の中国では、宗教がしばしば弾圧され、香港や台湾にその伝統が受け継がれていた)。牌坊からなかに入ると、堂々とした主体建築の三清殿(大壇)が鎮座し、その左右には凌霄

洪秀全が生まれ育った客家の村、官禄布

洪秀全像とその背後の洪秀全故居紀念館

広州の副都心として発展をとげた花都

殿と純陽殿が立つ。三清殿は古典的な天壇の様式をもち、玉清、上清、太清という道教の最高神の銅像が安置され、天井には太極図が描かれている。その奥には元辰宝殿、70トンを超す「老子雕像」、最奥には「羅天大殿」というように軸線上に展開する。洪秀全故居の南1kmに位置する。

資政大夫祠／资政大夫祠★☆☆

北 zī zhèng dà fū cí 広 ji¹ jing² daai³ fu¹ chi⁴

しせいだいふし／ズゥチェンダアフゥツゥ／ジイジィンダアイフウチィ

　　花都の名門一族が学び、祭祀を行なう宗祠、家塾でもある、資政大夫祠、南山書院、亨之徐公祠という3つの清代の建築からなる。清朝同治年間(1861〜75年)、ここ三華村の徐一族を出自とするふたりの兄弟、兵部郎中の徐方正と、兵部主事の徐表正はともに活躍し、同治帝から表彰を受けた。そして有能な官吏を生んだ祖父の徐德魁に「資政大夫」、徐表正の父に「奉直大夫」という称号を送った。こうして徐方正は資政大夫祠を、徐表正は南山書院を、その子孫は亨之徐公祠を建てて3つの祠堂建築がならぶようになった。1864年に建てられた幅14.8m、奥行56.6mの資政大夫祠、幅14.7m、奥行56.6mの南山書院は、ともに中庭が奥につらなっていき、前堂、中堂、後堂からなる。また亨之徐公祠は幅13.6m、奥行56.6mで、徐氏の15代目の徐亨之(1316〜97年)に捧げられている。これらの建築群は、木彫、石彫、灰塑などがふんだんに使われ、屋根のうえには鑊耳封火山墙が見られるなど、清代の嶺南建築の風格を今に伝えている。

広州白雲国際空港／广州白云国际机场★☆☆

北 guǎng zhōu bái yún guó jì jī chǎng 広 gwóng jau¹ baak³ wan⁴ gwok² jai² gei¹ cheung⁴

こうしゅうはくうんこくさいくうこう／グゥアンチョウバァイユゥングゥオジイジイチャアン／グゥオンジョウバアッウングゥオッジャイゲエイチョオン

　　北京国際空港、上海浦東国際空港とならぶ華南最大の空港で、広州市街から22km北に位置する広州白雲国際空港。も

ともと広州の空港は、1928年、東郊外に建設された軍用の天
河空港、1930年代に建設された広州駅北、白雲山麓の旧白
雲空港があり、1950年後半から白雲空港が民間の空港と使
われてきた。2004年に広州北郊外（花都区と白雲区人和鎮）に移
転して、開港して現在にいたる。広州、香港、マカオ、深圳、東
莞、仏山といった珠江デルタの都市が一体感を見せるなか、
中国北方と東南アジアを結ぶハブ空港として存在感を高め
ている。

自動車製造業の街

　広東省は1980年以来、いち早く外資の導入が進められ、改
革開放の最前線となった地域でもある。深圳や東莞といっ
た珠江デルタの街が発展するなか、広州花都区は華南最大
の広州白雲国際空港に近い立地、高速道路や高速鉄道の走
るといった条件から、日系はじめ世界的な自動車メーカー
があいついで進出した（また優れた港湾をもつ広州、深圳、香港に河
川で続く内陸の花都港を擁する）。これらの事情があいまって、花
都区には自動車メーカーと部品メーカーが集まり、「自動車
の街」を意味する「汽車城」の名前でも知られている。

太平天国の乱はここからはじまった

定都天京

作者：张春标 田兆信
陈永利
日期：二〇〇〇年十一月

Guang Zhou Jiao Qu

広州郊外城市案内

広東省の中央部を占める広州市
珠江デルタから丘陵部へいたり
市街部とは異なる姿を見せる

従化温泉／从化温泉★☆☆

㊗ cóng huà wēn quán ㊊ chung⁴ fa² wan¹ chyun⁴

じゅうかおんせん／ツォンフゥアウェンチゥエン／チョンファアワァンチュウン

　広州の後花園にもたとえられ、広東省を代表する温泉として知られる従化温泉。この地には明清時代から温泉があったと言われるが、近代の1930年代になって本格的に開発された。飛行機に乗った劉沛泉という人が従化の山奥を低空飛行中に、偶然、従化温泉（現在の百丈飛瀑）があることを発見した。それを受けて陳大年と梁培基がこの地の温泉を調査し、最初の温泉保養施設が建設された。1936年、広州最初期の観光産業（温泉開発）の端緒となり、当時、広州で力をもった陳済棠の別墅も残っている。広州から北東に80km離れた従化区、流溪河のほとりに位置する。

流溪河国家森林公園／流溪河国家森林公園★☆☆

㊗ liú xī hé guó jiā sēn lín gōng yuán ㊊ lau⁴ kai¹ ho⁴ gwok² ga¹ sam¹ lam⁴ gung¹ yun⁴

りゅうけいがこっかしんりんこうえん／リィウシイハアグゥオジアセェンリィンゴォンユゥエン／ラオカアイホォグゥオッガアサアムラァムゴォンユン

　流溪湖を中心に亜熱帯の植生が残り、温暖な気候から1年を通して美しい自然が見られる流溪河国家森林公園。流溪湖の湖面には大小22の島が浮かび、周囲は山に囲まれている。南東の五指山、牛角山をはじめとして標高1000m以上の

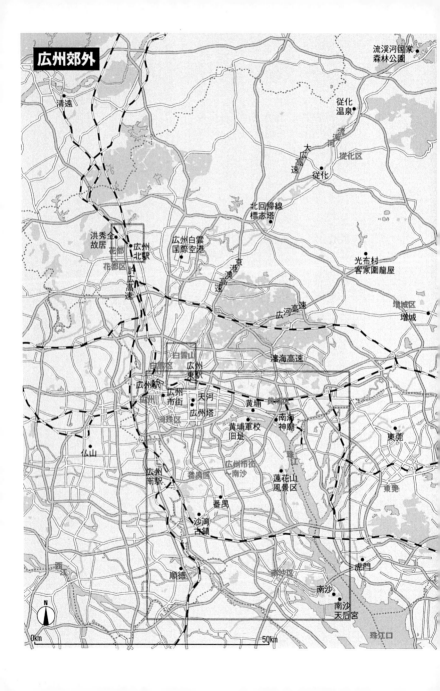

広州郊外

流溪河国家
森林公園

清遠

従化
温泉

大
広
高
速

従化区

従化

北回帰線
標志塔

光布村
客家囲龍屋

洪秀全
故居

広州
北駅

花都
花都区

広
港
湾
高
速

広州白雲
国際空港

京
港
澳
高
速

増城区

増城

広河高速

白雲山

白雲区

広州
東駅

禅海高速

広州駅

広州

広州
市街

天河

黄埔

黄埔

広州塔

海珠区

黄埔軍校
旧址

南海
神廟

東莞

仏山

広州
南駅

広州市街
南沙

番禺区

蓮花山
風景区

東莞

珠
江

東莞

番禺

沙湾
古鎮

虎門

順徳

南沙区

南沙

南沙
天后宮

珠江口

N

0km

50km

山が6座そびえることも特筆される。広州北東の従化市に位置し、気候が温和で、何百もの花が咲き誇るこの流渓河国家森林公園には、希少植物や絶滅危惧植物も生息する。

北回帰線標志塔／北回归线标志塔 ★☆☆

㉛ běi huí guī xiàn biāo zhì tǎ／bak¹ wui⁴ gwai¹ sin² biu¹ ji² taap²
きたかいきせんひょうしとう／ベイフゥイグゥイシィエンビィアオチイタア／バアゥイグゥアイシンビィウジイタアッ

　　広州北部の北緯23.5度(北回帰線)に立つ北回帰線標志塔。地軸に傾きがあることから、太陽が地球を照らす角度は季節によって異なり、夏至の日、太陽はこの北回帰線を直角に照らす(太陽は春分と秋分の日は赤道、冬至の日には南回帰線に対して直角になる)。そして太陽は北回帰線の真上に達したのち、再び赤道のほうへ戻る。北回帰線標志塔は、ロケットのような姿をしていて、北緯23.5度(北回帰線)にあわせて高さ23.5mとなっている。太陽が北回帰線の頭上に来る夏至の日には、塔中央の穴から太陽の光が地上に垂直に差しこむ。

***

★★★
南海神廟／南海神庙 ナンハイシェンミャオ／ナアムホオイサァンミゥウ
黄埔軍校旧址／黄埔军校旧址 フゥアンブウジュンシァオジィウチイ／ウォンボゥオグゥアンハアウガオジイ
南沙天后宮／南沙天后宫 ナンシァアティエンホウゴォン／ナアムサアティンホウゴォン
洪秀全故居／洪秀全故居 ホォンシィウチゥウエングウジゥウ／ホォンサゥウチゥウグウゴォイ

★★☆
光布村客家囲龍屋／光布村客家围龙屋 グゥアンブウツゥンカアジィアウェイロンウゥ／グゥオンボゥオチュゥンハアッガアワァイロォオンオッ

黄埔区／黄埔区 フゥアンブウチュウ／ウォンボゥオコォイ
沙湾古鎮／沙湾古镇 シャアワァンウチェン／サアワアングウジァアン
蓮花山風景区／莲花山风景区 リィアンフゥアシャンフェンジィンチゥウ／リンファアサアンフォンギインコォイ
南沙区／南沙区 ナンシァアチゥウ／ナアムサアコォイ
珠江口／珠江口 チゥウジィアンコォウ／ジゥウゴオンハアゥウ
花都区／花都区 フゥアドォウチゥウ／ファアドォウコォイ

★☆☆
従化温泉／从化温泉 ツォンフゥアウェンチゥエン／チョンファアワァンチゥウン
流渓河国家森林公園／流溪河国家森林公园 リィウシイハアグゥオジィアセェンリィンゴォンユゥエン／ラオカアイホォグゥオッガアサアムラァムゴォンユゥン
北回帰線標志塔／北回归线标志塔 ベイフゥイグゥイシィエンビィアオチイタア／バアゥウイグゥアイシンビィウジイタアッ
広州白雲国際空港／广州白云国际机场 グゥアンチョウバァイユゥングゥオジイジイチャアン／グゥオンジョウバアゥゥングゥオッジャイゲエイチョオン
番禺区／番禺区 パンユゥチゥウ／ファアンユゥコォイ

光布村客家圍龍屋／光布村客家围龙屋 ★★☆

北 guǎng bù cūn kè jiā wéi lóng wū 広 gwong¹ bou² chyun¹ haak² ga¹ wai⁴ lung⁴ uk¹
こうふそんはっかいりゅうおく／グゥアンブウツゥンカアジィアウェイロンウウ／グゥオンボォウチュウンハアッガアワァイロォンオッ

　光布村客家圍龍屋は、客家の陳一族が暮らす民居(圍龍屋)で、清朝康熙帝時代の1715年に建てられた。客家とは古い時代、中原から南方へ逃れてきた人びとのことで、北方の言語や文化体系を今でも保持しているという。光布村客家圍龍屋は一族の祠堂がおかれている祠を中心に、中央の方形民居が左右にならび、さらにその周囲を半円形状(馬蹄形)の環帯屋がぐるりととり囲む。幅38.8m、奥行36.2mの規模で、内部は柱、梁、扉などの彫刻がほどこされている。四周を囲む外壁の高さは1.5m、圍龍屋の前方には魚塘と呼ばれる池が広がっている。圍龍屋は外部に対して閉鎖性の強い集合住宅となっていて、連帯、徳、礼儀といった客家の価値観が建築に具現化されていて、年配者や若者を尊重しながら客家人が一族で共同生活をする(圍龍屋は福建省では土楼と呼ばれる)。荔枝の収穫で有名な広東省東部の増城市に残り、この地は客家人と広府文化のぶつかる地でもあった。

北京へ吹いた南風

1842年、イギリスとのアヘン戦争に敗れて南京条約を結んだ清朝
北京から遠く離れ、香港に近い南方の地では
西欧の思想や制度がいち早く紹介され、自由な気風が育まれた

洪秀全と太平天国

　1851〜64年に起こった太平天国の乱は、北京の皇帝を中心とする封建制や満州族による支配への抵抗として、その後の中国革命(1911年の辛亥革命)へとつながるものと見られている。1814年、広州郊外の花県(花都区)の客家として生まれた洪秀全は、科挙に失敗して儒教体制での出世の道をたたれたことなどからキリスト教に接近し、「独自の王国を建設する」ことを目標にかかげ、太平天国(1851〜64年)を樹立した。この時代、アヘン戦争に敗れた清朝は、戦費や賠償金のための重税を民衆に課したこと、水害や干ばつに人びとが苦しんでいたことから、多くの人が太平天国に共鳴し、一時は清朝をおびやかすまでに広がった(乱が広西で起こったのは、この地の少数民族や客家の人びとが廟の祭りに参加できないなど、不満が募っていたことによる)。

孫文と西欧思想

　1866年、広州に近い香山県(現中山市)で、洪秀全と同じ客家の家庭に生まれた孫文(1866〜1925年)。小さなころから洪秀全の影響を受けていたと言われ、1878年、華僑としてハワイで成功していた兄のもとにおもむいている(このとき西欧思

想やキリスト教に触れ、のちに満州族による清朝を打倒するための興中会をハワイで組織している)。その後、1886〜87年にかけて広州の博済医院に学び、1887〜1892年にイギリス植民地下の香港の西医書院(今の香港大学)でも学んでいる。このように孫文は西欧思想にふれながら、民族主義、民権主義、民生主義からなる三民主義を形成していった。孫文は広州を拠点とし、この街でたびたび広東政府を組織している。

孫文とその系譜

　孫文(1866〜1925年)を中心として成功させた1911年の辛亥革命、またそれ以後、中国と同じく帝政を打破してソ連を樹立したソ連共産党が中国に関わりを見せるようになっていた(皇帝を中心とする清朝とロマノフ王朝の統治構造が似ていて、ともにそれを打倒した)。1924年、ソ連のあと押しもあって、広州で第一次国共合作がなり、国民党、共産党がともにここ広州で活動していた。政党直属の軍をつくるために、1924年、ソ連の援助で黄埔軍官学校がつくられ、そこでは国共合作のもと人材が育成された(校長が国民党の蒋介石、政治主任が共産党の周恩来)。また孫文の死後、その系譜を継ぐ蒋介石や宋慶齢(孫文の妻で、中華人民共和国名誉主席)などが中国史を彩ることになった。孫文、蒋介石、周恩来などはいずれも1868年からの明治維新で近代化に成功させた日本に留学しており、日本の西欧化をもとに中国の近代化が進められた。

清朝を一時はおびやかした洪秀全

広州古城の越秀山、ここから広州の街がはじまった

広州南端の南沙から珠江をのぞむ

孫文、近代の中国革命は広州を中心に展開した

『近代・中国の都市と建築』(田中重光/相模書房)

『中国の実験』(エズラ・F・ヴォーゲル/日本経済新聞社)

『10-13世紀広州における南海神廟・南海神信仰研究の現状と課題』(張振康/大阪市立大学大学院文学研究科紀要)

『世界大百科事典』(平凡社)

『日本人のための広東語』(頼玉華著・郭文灝修訂/青木出版印刷公司)

『黄埔区卷』(広州市文物普查汇编编纂委员会・黄埔区文物普查汇编编纂委员会[编]/广州出版社)

『番禺区卷』(广州市文物普查汇编编纂委员会・番禺区文物普查汇编编纂委员会[编]/广州出版社)

『海珠区卷』(广州市文物普查汇编编纂委员会・海珠区文物普查汇编编纂委员会[编]/广州出版社)

『南沙区卷』(广州市文物普查汇编编纂委员会・南沙区文物普查汇编编纂委员会[编]/广州出版社)

『花都区卷』(广州市文物普查汇编编纂委员会・花都区文物普查汇编编纂委员会[编]/广州出版社)

『白云山卷』(广州市文物普查汇编编纂委员会・白云山卷编纂委员会[编]/广州出版社)

广州文史 http://www.gzzxws.gov.cn/

广州图书馆 http://www.gzlib.org.cn/

广州市黄埔区人民政府门户网站 http://www.hp.gov.cn/

黄埔军校纪念馆旧址 - 黄埔军校官网 http://www.hpma.cn/

南海神庙 https://www.hpnhsm.cn/Index/Index

白云山风景区门户网站 http://www.baiyunshan.com.cn/

广州市海珠区人民政府门户网站 http://www.haizhu.gov.cn/

孙中山大元帅府纪念馆 官方 https://www.dyshf.com/

廖仲恺何香凝纪念馆 https://jng.zhku.edu.cn/

中国科学院华南植物园 http://www.scib.ac.cn/

广州市番禺区人民政府门户网站 http://www.panyu.gov.cn/

广州市南沙区人民政府门户网站 http://www.gzns.gov.cn/

广州市文物考古研究院官方 https://www.gzkaogu.org/

广州岭南印象园门票_网站首页 http://www.gzlnyxy.cn/

广东科学中心官方 http://www.gdsc.cn/

生物岛|广州国际生物岛有限公司 http://www.bio-island.com/

首页- 53美术馆 http://www.53museum.org/

广东省生产力促进协会 http://www.gdpanet.cn/

广州白云国际机场 https://www.gbiac.net/

广州市流溪河国家森林公园 http://www.lxhpark.cn/

广州市增城区人民政府门户网站官方 http://www.zc.gov.cn/

辛亥革命纪念馆 https://www.xhgmjng.cn/

余荫山房 广东四大名园 全国重点文物保护单位 http://www.yuyinshanfang.com/

The Metropolitan Museum of Art https://www.metmuseum.org/

OpenStreetMap

(C)OpenStreetMap contributors

まちごとパブリッシングの旅行ガイド

Machigoto INDIA , Machigoto ASIA , Machigoto CHINA

広東省-まちごとチャイナ

遼寧省-まちごとチャイナ

重慶-まちごとチャイナ

四川省-まちごとチャイナ

香港-まちごとチャイナ

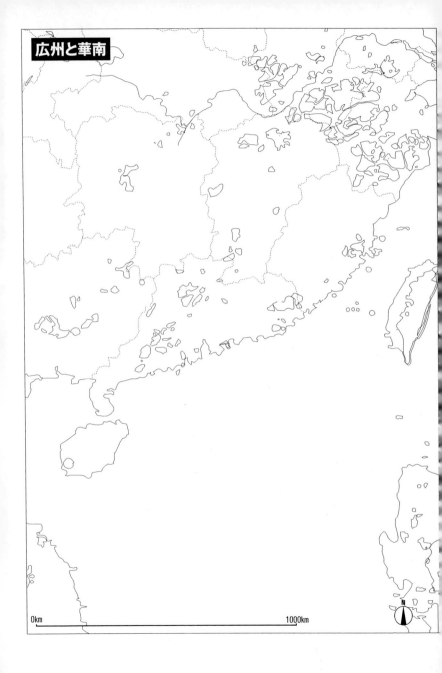

広州と華南

0km　　　　　　　　　　　　　　　　　　　　　　　1000km

N

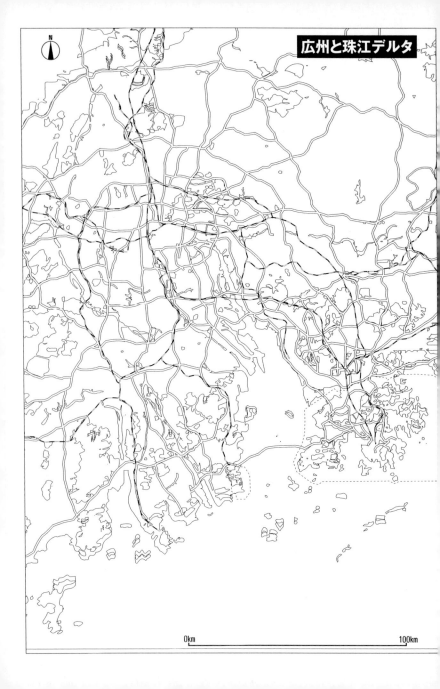

広州と珠江デルタ

N

0km　　　　　　　　　　　　　　100km

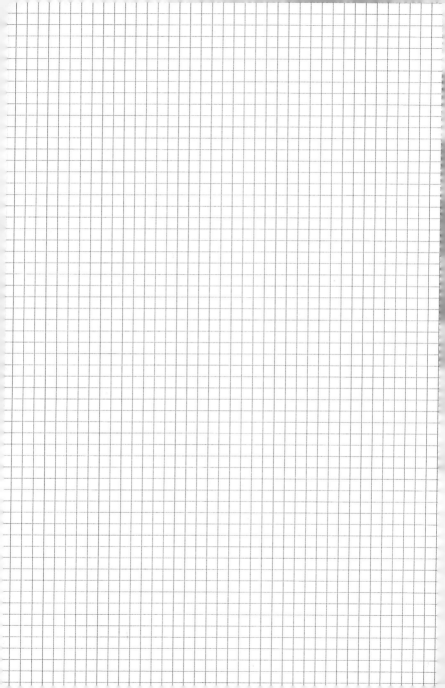

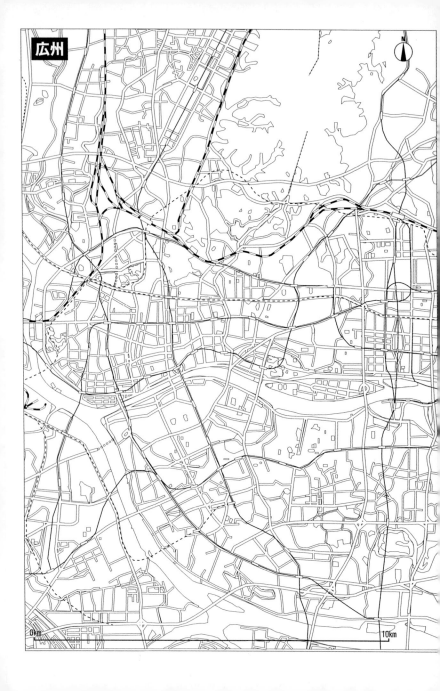

広州

N

0km 10km

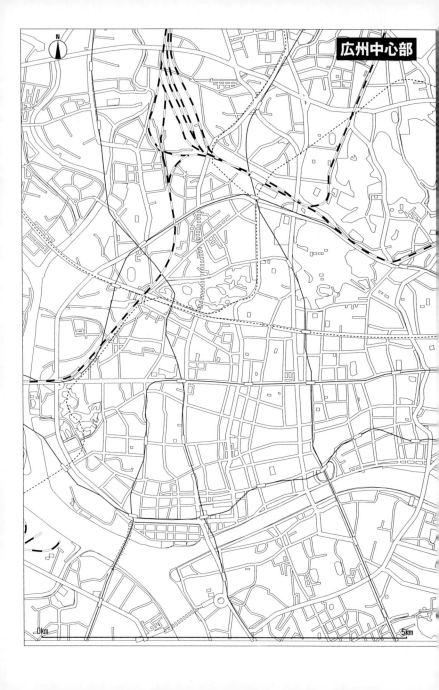
広州中心部

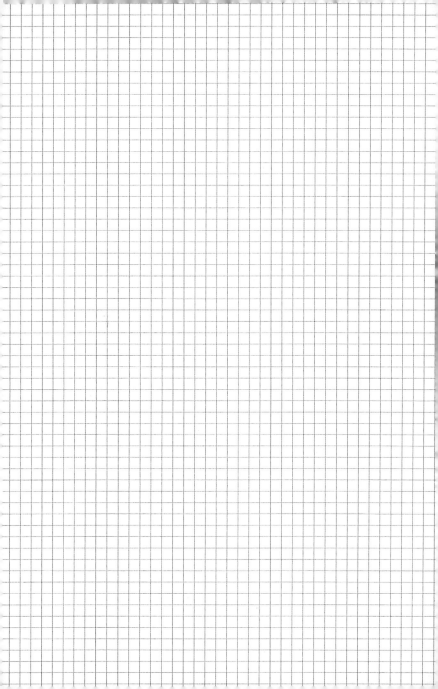

三元里

0m 500m

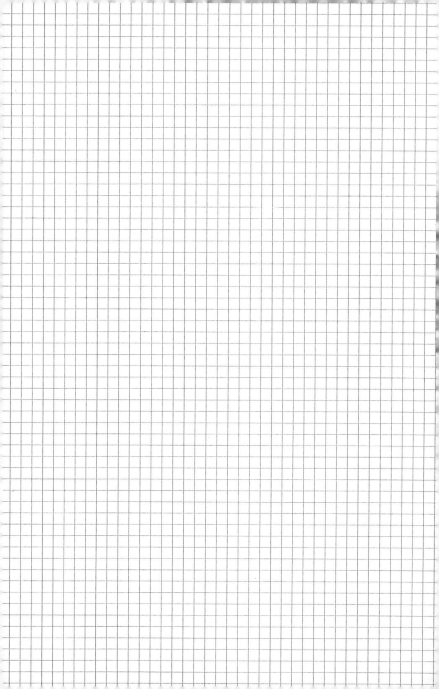

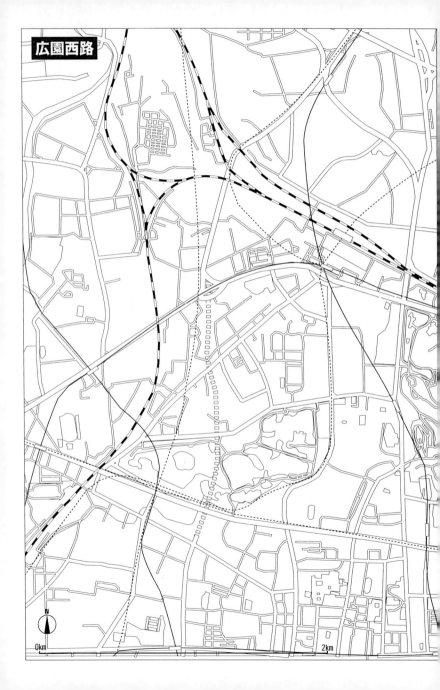

広園西路

N

0km 2km

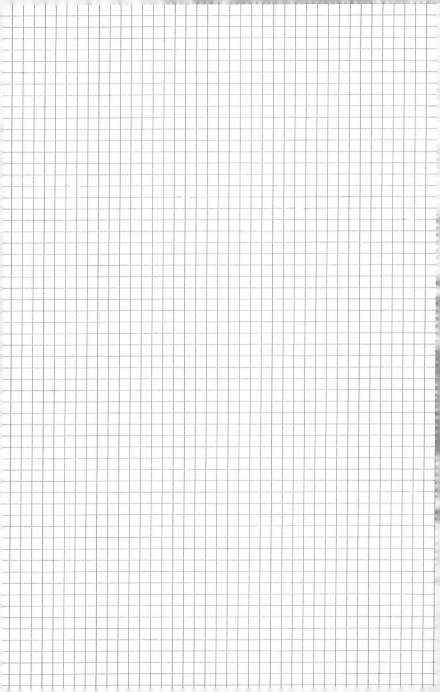

白雲山

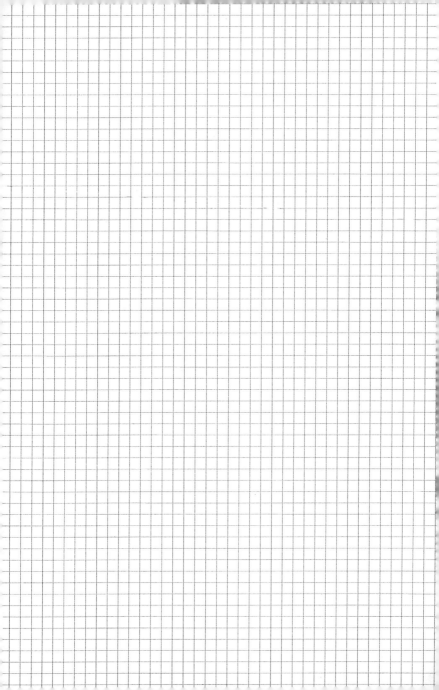

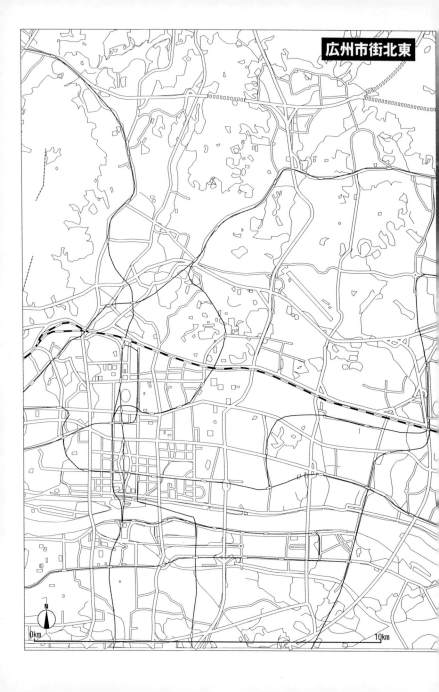

広州市街北東

0km   10km

黄埔～南海神廟

0km ____5km

黄埔～番禺

N
0km ____30km

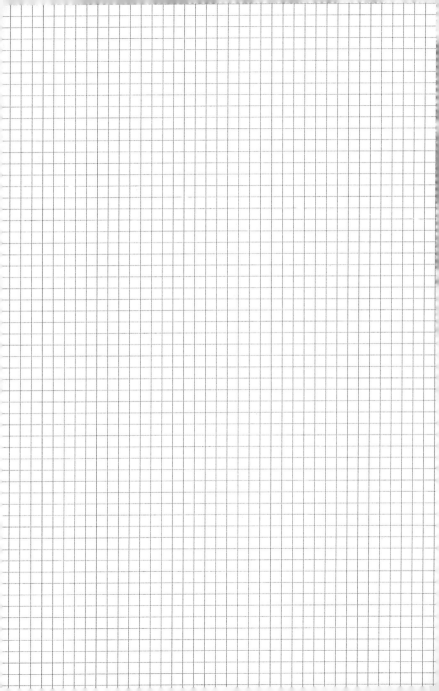

黄埔

0km   1km

N

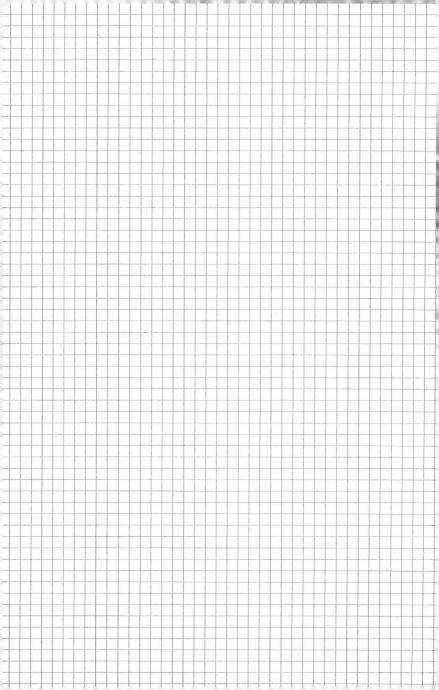

黄埔軍校

N

黄埔軍校と長洲島

N

0km   2km

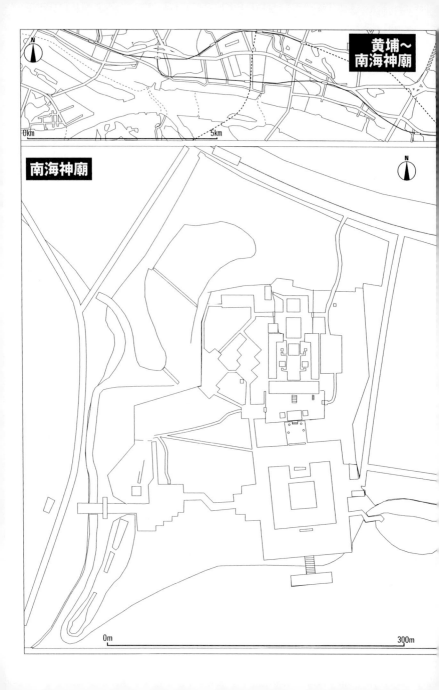

黄埔〜
南海神廟

N

0km 5km

南海神廟

N

0m 300m

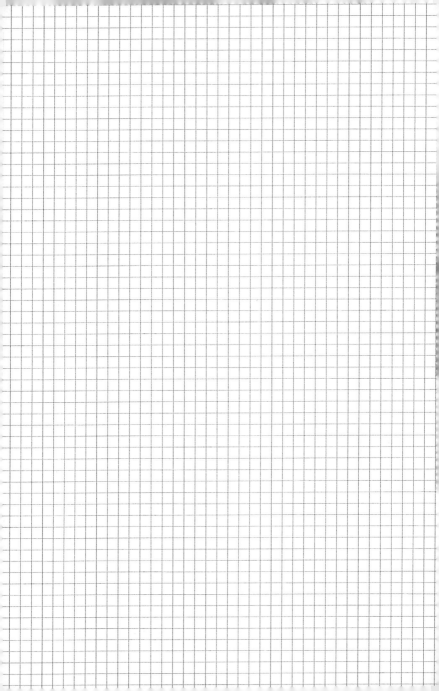

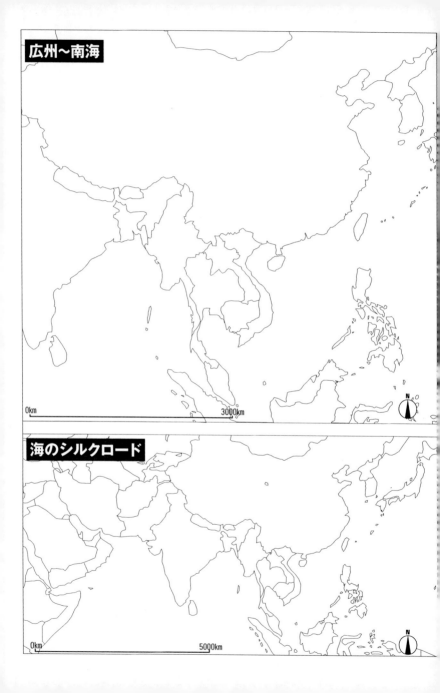

広州～南海

0km　　　　　　　　　　　　　3000km

海のシルクロード

0km　　　　　　　　　　　　　5000km

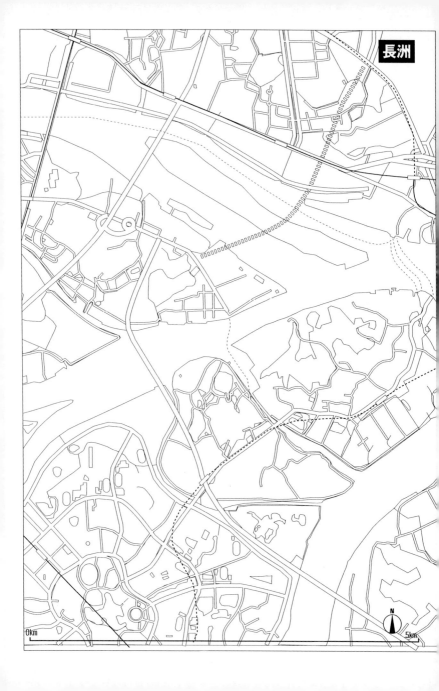

長洲

N

0km 5km

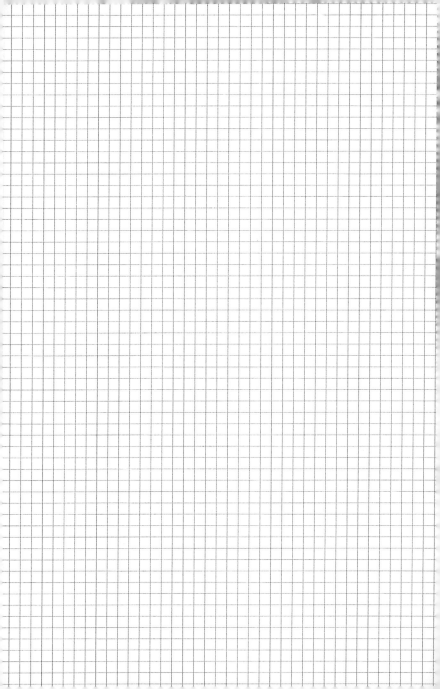

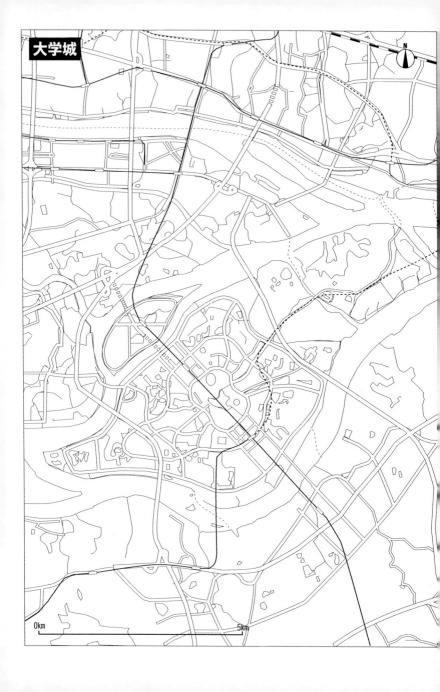

大学城

N

0km   5km

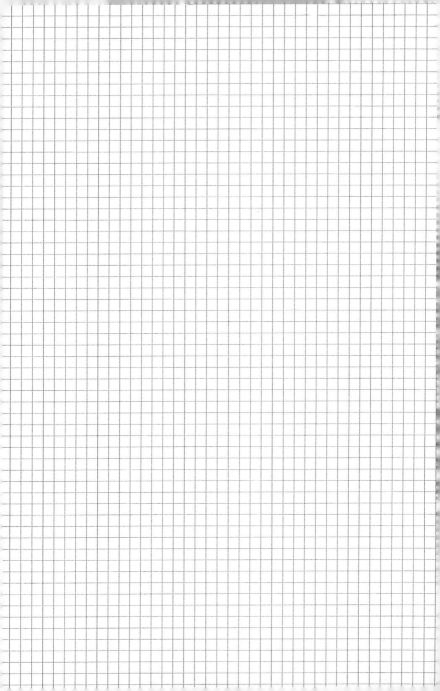

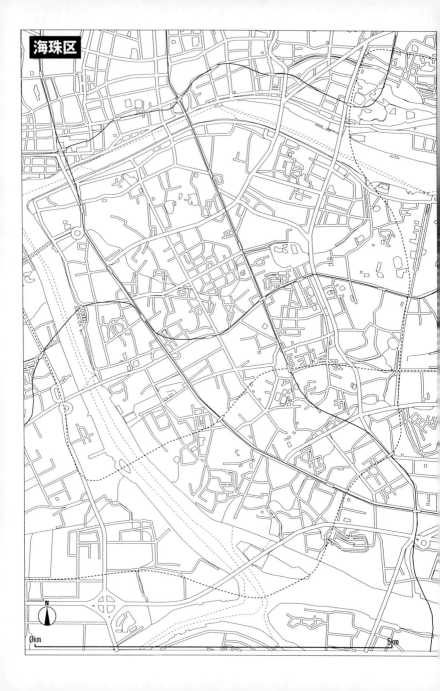

海珠区

N

0km　　　　　　　　　　　　5km

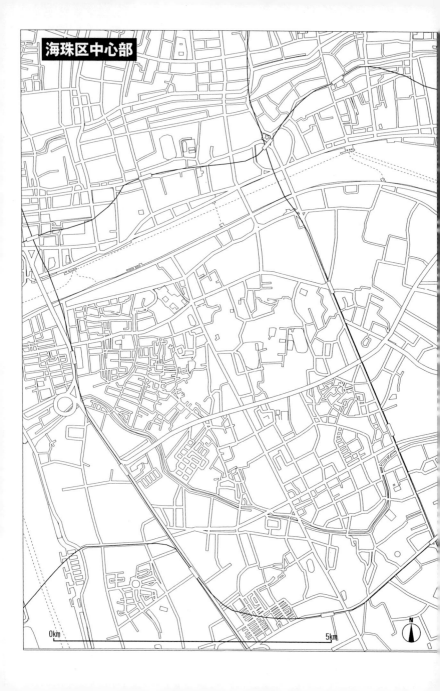

海珠区中心部

0km   5km

N

芳村

0km   2km

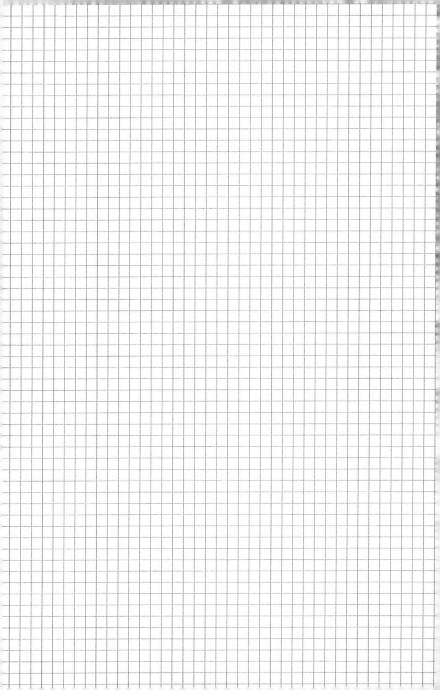

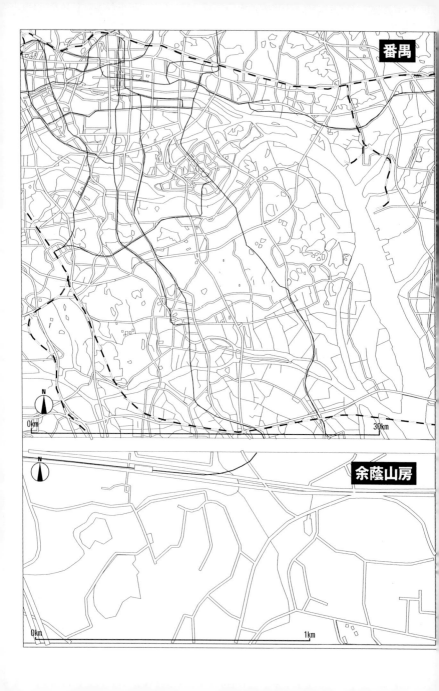

番禺

0km   30km

余蔭山房

0km   1km

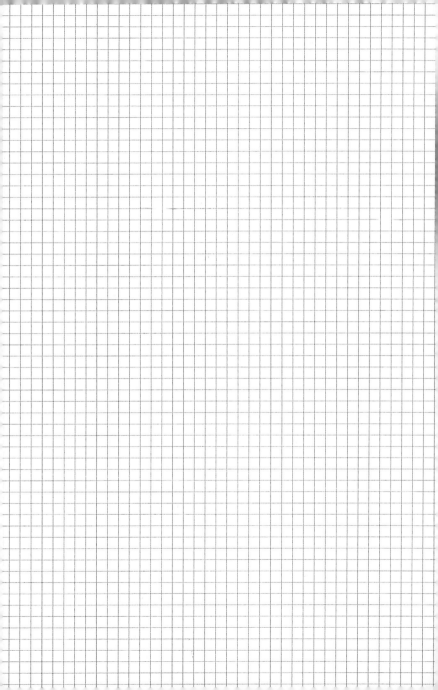

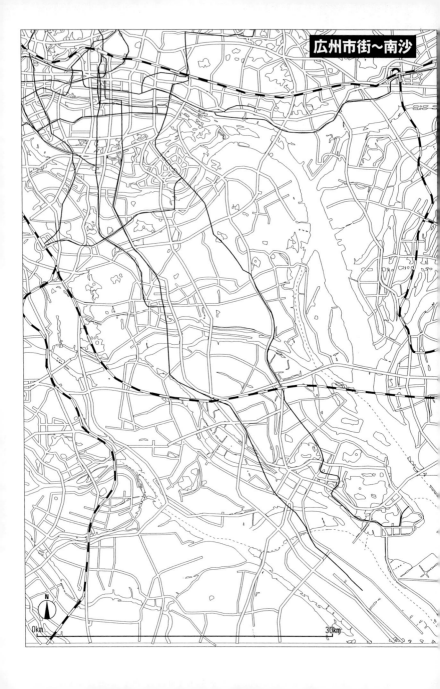

広州市街～南沙

N

0km   30km

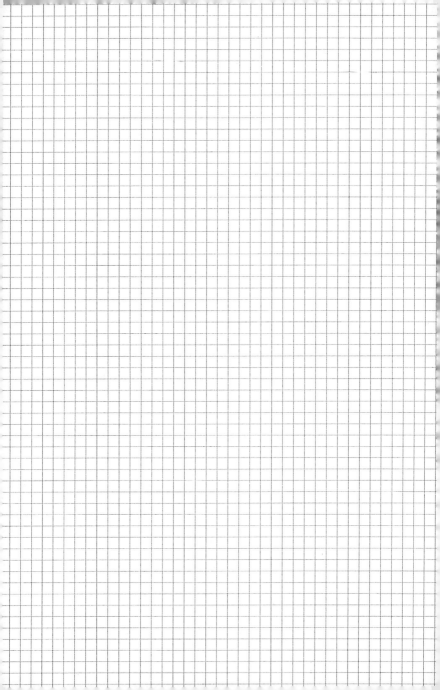

南沙

N

0km   3km

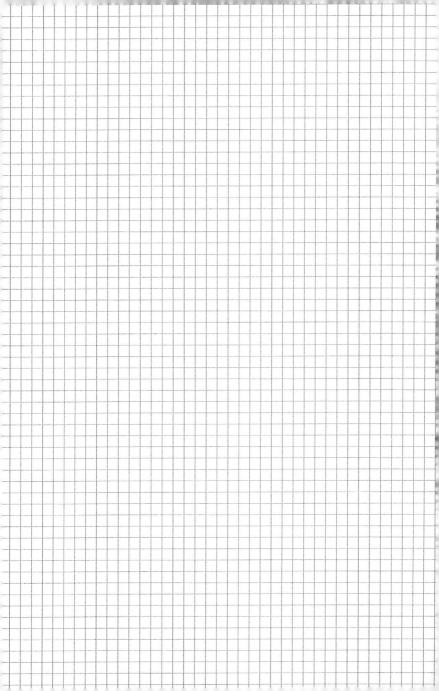

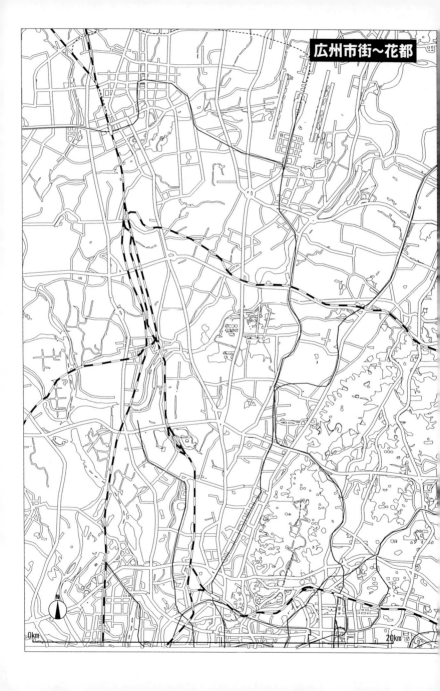

広州市街～花都

0km　　　　　　　　　　　　　　　　　20km

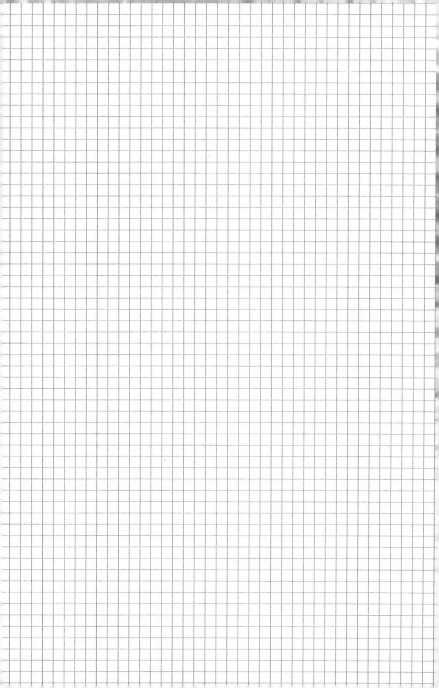

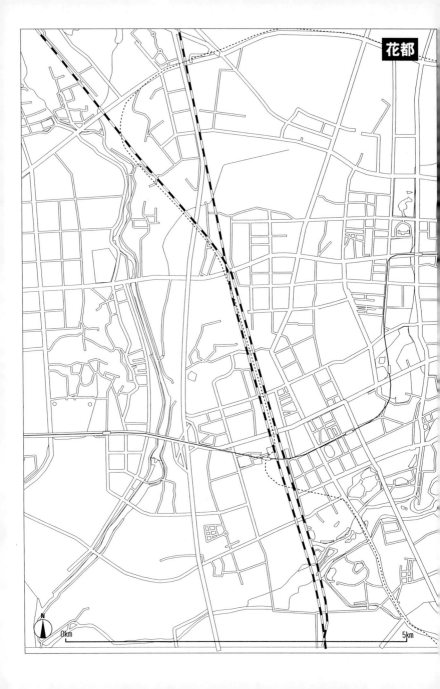

花都

N

0km ━━━━━━━━━━━━━━━━━━━━━━━━━ 5km

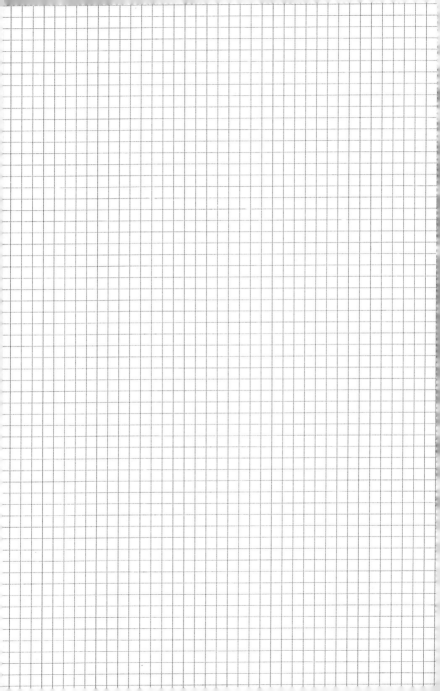

洪秀全故居

0m   200m

N

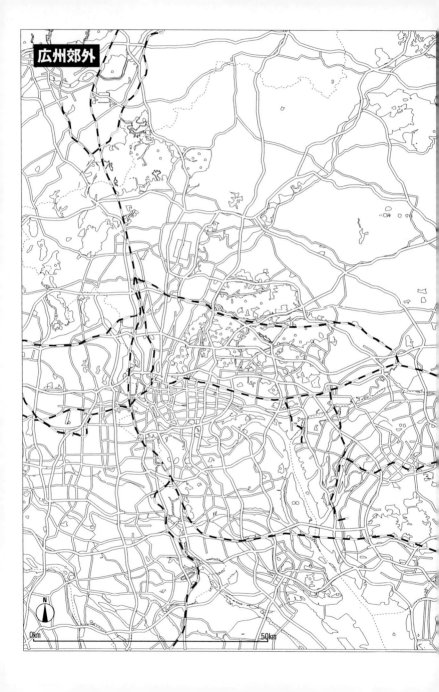

広州郊外

N

0km ⎯⎯⎯⎯⎯⎯⎯⎯⎯⎯ 50km

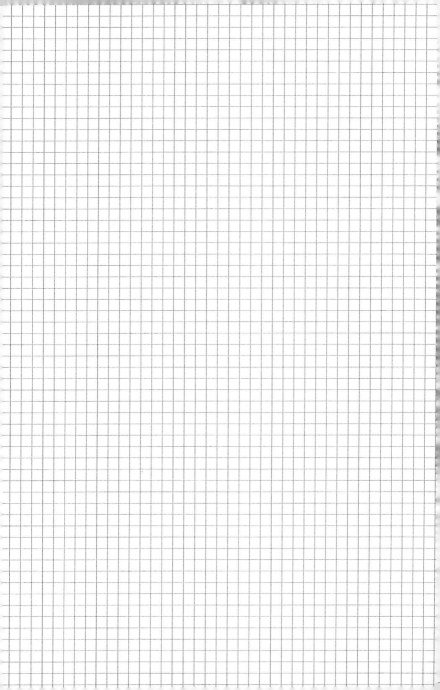

【車輪はつばさ】
南インドのアイラヴァテシュワラ寺院には
建築本体に車輪がついていて
寺院に乗った神さまが
人びとの想いを運ぶと言います

An amazing stone wheel of the Airavatesvara Temple
in the town of Darasuram, near Kumbakonam in the South India

まちごとチャイナ
広東省 013

広州郊外
黄埔・海珠・番禺・南沙・花都

「アジア城市(まち)案内」制作委員会
まちごとパブリッシング
http://machigotopub.com

・本書はオンデマンド印刷で作成されています。
・本書の内容に関するご意見、お問い合わせは、発行元の
　まちごとパブリッシング info@machigotopub.com までお願いします。

まちごとチャイナ
[新版] 広東省013広州郊外
～黄埔・海珠・番禺・南沙・花都

2021年11月22日　発行

著　者　　「アジア城市（まち）案内」制作委員会
発行者　　赤松　耕次
発行所　　まちごとパブリッシング株式会社
　　　　　〒181-0013　東京都三鷹市下連雀4-4-36
　　　　　URL http://www.machigotopub.com/
発売元　　株式会社デジタルパブリッシングサービス
　　　　　〒162-0812　東京都新宿区西五軒町11-13
　　　　　清水ビル3F
印刷・製本　株式会社デジタルパブリッシングサービス
　　　　　URL http://www.d-pub.co.jp/

MP362

ISBN978-4-86143-519-5 C0326　　　Printed in Japan
本書の無断複製複写 (コピー) は、著作権法上での例外を除き、禁じられています。